Quizzes

ST. PAUL • LOS ANGELES • INDIANAPOLIS

Note to the teacher

The quizzes for each chapter (*Lección A* and *Lección B*) are part of the *¡Aventura! 3* Assessment Program.* The quizzes are designed so that they can be given after students complete each individual textbook section (as indicated by the icon in the Teacher's Edition) or at the end of each individual lesson.

An answer key for all the quizzes is found at the end of this manual.

*The Assessment Program for *¡Aventura! 3* is also available in **ExamView** format.

Editorial Director
Alejandro Vargas

Project Manager
Charisse Litteken

Production Editor
Amy McGuire

Illustrators
Kristen M. Copham Kuelbs
Bruce Van Patter

ISBN 978-0-82194-102-7

875 Montreal Way
St. Paul, MN 55102
E-mail: educate@emcp.com
Web site: www.emcp.com

Printed in the United States of America

16 15 14 13 12 11 10 09 08 07 1 2 3 4 5 6 7 8 9 10

Tabla de contenido

Nombre: ______________________ Fecha: ______________

Capítulo 1

Lección A

1 Empareje la definición de la izquierda con la palabra correspondiente de la derecha.

1. _____ lo contrario de lento
2. _____ ayudar
3. _____ grupo de músicos que tocan juntos varios instrumentos musicales
4. _____ grupo de gente que canta junta
5. _____ grupo de estudiantes que resuelven los problemas de la clase
6. _____ lo contrario de aparecer
7. _____ pasar a formar parte de un grupo u organización
8. _____ ir más rápido

A. desaparecer
B. orquesta
C. darse prisa
D. colaborar
E. rápido
F. coro
G. hacerse miembro
H. consejo estudiantil

2 Complete las siguientes oraciones con el presente del verbo apropiado de la lista.

merecer	conocer	convencer	establecer
desaparecer	pertenecer	traducir	obedecer

1. Hola, Alfonso. ¡Tú siempre ______________________ durante el verano!
2. Yo no ______________________ al nuevo profesor de español.
3. Ramiro y Lupe ______________________ los horarios para el club de literatura.
4. En la orquesta, yo ______________________ las instrucciones del director.
5. Yo ______________________ un libro al español.
6. Sara ______________________ un premio a la mejor estudiante.
7. Beto y Tomás ______________________ al coro de la escuela.
8. Verónica y yo ______________________ a Luis para que cante con nosotras.

Nombre: ______________________________ Fecha: ______________

3 Complete las siguientes oraciones con la forma apropiada del presente del verbo entre paréntesis.

1. Luis y Tomás ______________________________ al fútbol. (jugar)
2. Tú ______________________________ ocho horas al día. (dormir)
3. Lorena ______________________________ los ejercicios de español. (repetir)
4. Yo ______________________________ orden en el consejo estudiantil. (poner)
5. Uds. ______________________________ hacerse miembros del club de fotografía. (querer)
6. Fernanda ______________________________ los ensayos del coro. (oír)
7. ¿______________________________ nosotros los horarios del club? (preparar)
8. Uds. ______________________________ a la orquesta después del verano. (volver)

4 Complete las siguientes descripciones con el adjetivo apropiado de la lista.

estricto responsable trabajador vago organizado

1. La mesa de trabajo de Isa siempre está ordenada.
   Ella es muy ______________________________.
2. Quique nunca quiere hacer nada.
   Es un ______________________________.
3. Tú y yo siempre hacemos lo que debemos hacer.
   Somos ______________________________.
4. Benito tiene dos trabajos, uno por la mañana y otro por la noche.
   Es muy ______________________________.
5. Mi profesora de arte de este año nos hace estudiar mucho.
   Es muy ______________________________.

Nombre: ______________________________ Fecha: ____________________

5 **Marque la letra de la respuesta que mejor completa cada oración.**

1. Gabriel García Márquez es un famoso…

   A. escritor colombiano. B. ciclista colombiano.

2. La cantante Shakira ha…

   A. ganado el Premio Nobel. B. conquistado el mercado estadounidense.

3. Carlos "Pibe" Valderrama es un símbolo del…

   A. fútbol colombiano. B. arte de la pintura.

4. Bogotá es la capital de…

   A. Venezuela. B. Colombia.

5. En el barrio La Candelaria hay…

   A. muchos edificios coloniales. B. muchos teatros y plazas de toros.

6. Desde el cerro de Monserrate se puede ver…

   A. una bella vista de Bogotá. B. el museo de Arte Moderno.

Nombre: ______________________________ Fecha: ____________________

6 **Complete las siguientes oraciones con la forma apropiada de *ser* o *estar*.**

1. ¿Cómo ______________________ el tiempo generalmente en Colombia?
2. Mis padres ______________________ muy orgullosos de mi hermano, porque acabó sus estudios.
3. ¡Mamá, hoy la sopa ______________________ muy rica!
4. Mis amigos y yo ______________________ listos para salir.
5. Gabriel ______________________ muy listo y saca muy buenas notas.
6. Hoy el cielo ______________________ nublado.
7. Yo ______________________ muy responsable en mi trabajo.
8. Daniela ______________________ estudiosa y trabajadora.
9. Uds. ______________________ talentosos.
10. Esta fruta todavía ______________________ verde.
11. Tomar leche ______________________ muy bueno para la salud.
12. Gonzalo y tú ______________________ muy organizados.
13. ¡Qué guapo ______________________ hoy, José! ¿Adónde vas?
14. ¿Dónde ______________________ mis libros?
15. Benito y yo ______________________ buenos amigos.

Nombre: ______________________ Fecha: ______________

Lección B

1 Lea las siguientes descripciones y escriba a qué trabajo u oficio corresponden.

1. La persona que entrena a un equipo de deporte. ______________
2. La persona que da clases de algo. ______________
3. La persona que juega al fútbol profesionalmente. ______________
4. La persona que toca un instrumento musical. ______________
5. La persona que cuida a niños. ______________
6. La persona que se dedica a repartir cosas. ______________
7. La persona que juega al tenis. ______________
8. La persona que repara carros. ______________

2 Complete las siguientes oraciones con *qué, cuál* o *cuáles.*

1. ¿______________ son tus deportes favoritos?
2. ¿______________ es la amistad?
3. ¿______________ son las arepas?
4. De tus hermanos, ¿______________ es el más trabajador?
5. ¿______________ eres tú? Soy tenista.
6. ¿______________ son los deportes más famosos en Venezuela?
7. ¿______________ es tu dirección de correo electrónico?
8. ¿______________ es una telenovela?

Nombre: ______________________________ Fecha: ______________

3 **Escriba oraciones con el verbo *ser* y la información que se da. Siga el modelo.**

MODELO mi padre / un pianista excelente
Mi padre es un pianista excelente.

1. tus dos hermanos / músicos conocidos

____

2. yo / un buen estudiante

____

3. Amalia / artista

____

4. Juan y Carmen / maestros

____

5. Simón / un futbolista muy famoso

____

6. Rosa / una cantante muy talentosa

____

7. tú / niñera

____

8. Uds. / repartidores

____

4 Complete las siguientes oraciones con la palabra apropiada de la lista.

actuación	terror	subtítulos
efectos	documental	guión

1. *Amelie* es una película en francés con ______________________ en inglés.
2. Me gustó el ______________________ de *Memento*, porque es una historia muy original.
3. Las películas de ciencia ficción tienen muchos ______________________ especiales.
4. Vi un ______________________ sobre animales africanos.
5. *Frankenstein contra Drácula* es una película de ______________________ .
6. La ______________________ de los actores fue muy buena.

5 Conteste las siguientes preguntas sobre el béisbol venezolano y las telenovelas.

1. ¿Cuántos años tiene la historia del béisbol en Venezuela?

   ____

2. Nombre a dos jugadores venezolanos de fama mundial.

   A. ____

   B. ____

3. ¿Cuál es una de las industrias más importantes de Venezuela?

   ____

4. ¿Dónde están las raíces de la telenovela?

   ____

5. ¿Qué público ve hoy telenovelas venezolanas?

   ____

Nombre: ______________________________ Fecha: ______________

6 Escriba oraciones con el verbo *gustar* y la información que se da. Siga el modelo.

MODELO yo / películas de vaqueros
A mí me gustan las películas de vaqueros.

1. tú / películas románticas

   ____

2. tus amigos / películas policiacas

   ____

3. mi hermanito pequeño / películas de dibujos animados

   ____

4. yo / actuar en el teatro de la escuela

   ____

5. Uds. / ver películas dobladas

   ____

6. tu abuela / películas musicales

   ____

7 Complete las siguientes oraciones con el presente de los verbos entre paréntesis.

1. A mí ______________________ leer subtítulos. (molestar)
2. A ti ______________________ los documentales. (interesar)
3. A Uds. ______________________ las películas de vaqueros. (fascinar)
4. A ellos no ______________________ ir a ver otra película. (importar)
5. A Sara ______________________ tontas las películas cómicas. (parecer)
6. A mi madre ______________________ ir al cine. (encantar)
7. A nosotros ______________________ la gente que habla en el cine. (molestar)
8. A mis abuelos ______________________ las películas de terror. (encantar)

Nombre: ______________________________ Fecha: ______________

Capítulo 2

Lección A

1 Empareje la definición de la izquierda con la palabra correspondiente de la derecha.

1. ______ Soy el esposo de tu hermana.	A. cuñada
2. ______ Soy la mamá de tu esposo.	B. yerno
3. ______ Mi hermana y yo nacimos el mismo día.	C. bigote
4. ______ Soy el esposo de tu hija.	D. nuera
5. ______ Mi esposo murió.	E. cuñado
6. ______ Los uso para leer.	F. lacio
7. ______ Soy la esposa de tu hijo.	G. suegra
8. ______ Soy la hermana de tu esposo.	H. viuda
9. ______ Lo contrario de rizado.	I. lentes
10. ______ El pelo que crece debajo de la nariz.	J. gemelas

Nombre: ______________________ Fecha: ______________

2 Complete las siguientes oraciones con la palabra apropiada de la lista.

algunas	ninguna	ni	nunca	alguien
nadie	alguna	unos cuantos	algún	ningún

1. ¿Hay ______________________ aquí?
2. No, aquí no hay ______________________ .
3. ¿Conoces ______________________ canción dominicana?
4. No, no conozco ______________________ canción dominicana.
5. ¿Tienes ______________________ disco de Juan Luis Guerra?
6. Sí, tengo ______________________ discos suyos.
7. ______________________ familiar mío vive en Miami.
8. Ni mi padre ______________________ mi madre son de Puerto Rico.
9. Yo ______________________ he estado en Orlando.
10. ______________________ amigas mías van a ir a Los Ángeles.

3 Escriba el nombre de lo que representa cada ilustración.

1. ______________ 2. ______________ 3. ______________

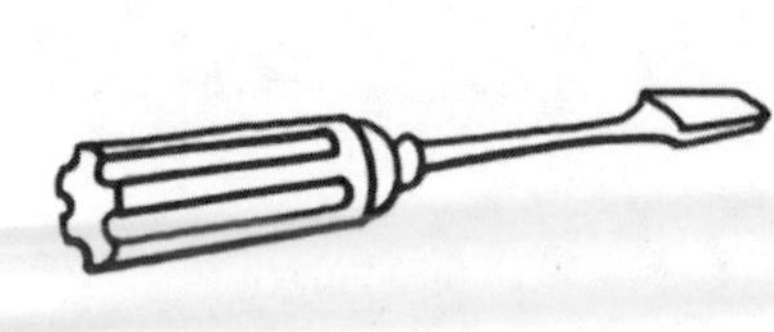

4. ______________ 5. ______________ 6. ______________

Nombre: ______________________________ Fecha: ______________

4 Conteste las siguientes preguntas.

1. ¿Qué es el *Spanglish*?

   ____

   ____

2. ¿Quién habla *Spanglish*?

   ____

   ____

3. ¿En qué ciudades de Estados Unidos se habla más el *Spanglish*?

   ____

   ____

4. Diga cuatro palabras o expresiones en *Spanglish* con su correspondiente significado en inglés.

   A. ______________________________

   B. ______________________________

   C. ______________________________

   D. ______________________________

5. ¿Cuándo se celebra la Fiesta de San Antonio?

   ____

   ____

6. Mencione dos eventos de la Fiesta de San Antonio.

   A. ______________________________

   B. ______________________________

Nombre: ______________________________ Fecha: ______________

5 **Conteste las preguntas, usando el presente progresivo y la información entre paréntesis.**

1. ¿Qué hace tu padre? (regar el jardín)
   ____
2. ¿Qué hacen tus hermanos? (conectar el estéreo)
   ____
3. ¿Qué hace tu madre? (clavar un clavo)
   ____
4. ¿Qué haces tú? (desarmar el cortacésped)
   ____
5. ¿Qué hacen tus primos? (decorar el pasillo)
   ____
6. ¿Qué hago yo? (hacer muchas preguntas)
   ____

6 **Escriba generalizaciones, usando la información que se da y el *se* impersonal.**

1. en esa tienda / vender / destornilladores
   ____
2. todos los domingos / regar / las plantas
   ____
3. en el centro cultural / hablar / español
   ____
4. buscar / jardinero / para decorar el jardín
   ____
5. en la cocina / preparar / la comida
   ____
6. los días de fiesta / dormir / hasta tarde
   ____
7. necesitar / carpintero / para construir estantes
   ____
8. no / permitir / hacer ruido
   ____

Nombre: ______________________ Fecha: ____________

Lección B

1 Complete las siguientes oraciones, escogiendo la palabra o expresión apropiada entre paréntesis.

1. Sandra quiere pintarse las uñas pero no encuentra ______________________. (el secador / el esmalte)
2. Bernardo ______________________ el pelo con la toalla. (se seca / se lava)
3. Mi familia es ______________________ : somos cinco hermanos. (impaciente / numerosa)
4. Víctor se pone ______________________ cuando hay desorden en el baño. (furioso / mojado)
5. Rita es muy ______________________ y siempre espera su turno para el baño. (mandona / paciente)
6. ¡No aguanto este ______________________ ! (secador / desorden)
7. Félix ______________________ con sus hermanos porque le quitan el secador. (se enoja / se prepara)
8. ¿A quién le ______________________ entrar en el baño ahora? (toca / pinta)

2 Complete las siguientes oraciones con la construcción reflexiva apropiada de los verbos entre paréntesis.

1. Por la mañana yo ______________________ temprano. (levantarse)
2. Mi hermana ______________________ muy de prisa. (vestirse)
3. Nosotros ______________________ el pelo con el secador. (secarse)
4. Uds. ______________________ los labios. (pintarse)
5. Tú ______________________ para salir a la escuela. (prepararse)
6. Mis padres ______________________ los abrigos porque hace frío. (ponerse)

Nombre: ______________________________ Fecha: ________________

3 **Escriba oraciones describiendo qué hacen las siguientes personas, usando la construcción reflexiva de los verbos de la lista. Siga el modelo.**

lastimarse	irse	divertirse	reírse
dormirse	aburrirse	levantarse	

MODELO

Ángela
Ángela se lastima.

los niños

1. ______________________________
____

yo

4. ______________________________
____

tú

2. ______________________________
____

ella

5. ______________________________
____

nosotros

3. ______________________________
____

Uds.

6. ______________________________
____

Nombre: ______________________________ Fecha: ______________

4 **Escriba oraciones con la forma recíproca de los verbos. Siga el modelo.**

MODELO nosotros / abrazarnos
Nosotros nos abrazamos.

1. Uds. / conocerse
____
2. Alberto y su hermano / pelearse
____
3. nosotros / saludarse
____
4. Ana y su novio / escribirse
____
5. Juan y Luisa / quererse
____
6. tú y yo / llevarse bien
____
7. ellos / darse / la mano
____
8. los amigos / ayudarse
____

5 **Empareje la descripción de la izquierda con la palabra o expresión apropiada de la derecha.**

1. ______ Es para colgar ropa.
2. ______ Son para poner libros.
3. ______ Sirve para sentarse.
4. ______ Es una mesita junto a la cama.
5. ______ Donde Ud. duerme.
6. ______ Las necesitas para hacer la cama.
7. ______ Se usa para guardar ropa.
8. ______ Se pone en la cama cuando hace frío.

A. la mesa de noche
B. la cómoda
C. la cobija
D. la percha
E. el colchón
F. los estantes
G. las sábanas
H. el sofá

Nombre: ______________________ Fecha: ______________

6 **Diga si las siguientes oraciones son ciertas (C) o falsas (F).**

1. C F No hay anuncios comerciales para hispanos en Estados Unidos.
2. C F Los hispanos son la minoría más grande de Estados Unidos.
3. C F Los gustos de los chicos hispanos y los anglos son muy diferentes.
4. C F En Nueva York hay muy poca presencia hispana.
5. C F Los puertorriqueños no son la comunidad hispana más grande de Nueva York.
6. C F Hay importantes instituciones en español en Nueva York.

7 **Escriba mandatos diciéndole a su amigo/a cómo ayudarlo/a a ordenar su cuarto. Use la información que se da.**

1. colgar / la ropa en las perchas

   ____

2. hacer / la cama

   ____

3. poner / los libros en el estante

   ____

4. guardar / las sábanas en la cómoda

   ____

5. sacar / la basura a la calle

   ____

6. llevar / estos platos a la cocina

   ____

7. buscar / más perchas en la otra habitación

   ____

8. limpiar / las ventanas

   ____

Nombre: ______________________________ Fecha: ____________________

Capítulo 3

Lección A

1 Empareje la información de la izquierda con la sección del periódico donde suele aparecer.

1. _____ La boda del príncipe con una mujer de negocios.
2. _____ Los problemas económicos del país.
3. _____ A qué hora dan por la televisión la telenova.
4. _____ Revista que forma parte del periódico del domingo.
5. _____ Anuncios para buscar trabajo o encontrar casa.
6. _____ El discurso del presidente.
7. _____ La solución al crucigrama de ayer.
8. _____ Noticias sobre el festival de cine.

A. suplemento dominical
B. política
C. ocio
D. clasificados
E. espectáculos
F. finanzas
G. sociedad
H. programación de televisión

2 Complete las siguientes oraciones con el pretérito de los verbos entre paréntesis.

1. Raúl y Lidia no ______________________ bien después de cenar. (sentirse)
2. Mi abuela ______________________ ocho horas ayer. (dormir)
3. Los presidentes de España y Estados Unidos ______________________ un discurso. (dar)
4. ¿______________________ tú a la fiesta de Cristina? (ir)
5. Nosotros ______________________ mucho en la discoteca. (divertirse)
6. ¡El gato de Juana se ______________________! (morir)
7. Joaquín ______________________ hacer el crucigrama. (preferir)
8. Uds. ______________________ terminar toda la tarea. (conseguir)

Nombre: ______________________________ Fecha: ______________

3 **Escriba las siguientes oraciones en el pretérito.**

1. Susana lee la sección de finanzas.

   ____

2. Víctor y Ana contribuyen a organizar la fiesta.

   ____

3. Yo oigo las noticias por la radio.

   ____

4. ¿Qué dicen las noticias?

   ____

5. Enrique viene a mi casa.

   ____

6. Nosotros sabemos dónde vive Álvaro.

   ____

7. Uds. traen regalos para Tina.

   ____

8. Los padrinos sirven comida para los invitados.

   ____

9. Tú conduces un coche.

   ____

Nombre: ______________________________ Fecha: ______________

4 **Complete las siguientes oraciones con la palabra apropiada de la lista.**

entrevistar	cámara digital	reportaje	reportero
ceremonia	ordenador	sesión fotográfica	estreno

1. El fotógrafo usa una ______________________________.
2. La ______________________________ de entrega de premios fue muy larga.
3. Fermín Caballeros fue al ______________________________ de su última película.
4. Salió un ______________________________ sobre el festival de cine en el suplemento dominical.
5. El periodista escribe un artículo en su ______________________________.
6. Quiero ______________________________ a Steven Spielberg para el periódico de la escuela.
7. Un ______________________________ entrevistaba a una artista.
8. Hubo una ______________________________ con los artistas y el director.

5 **Conteste las siguientes preguntas.**

1. ¿Qué es *Aula*?

    ____

2. Mencione tres temas que se tratan en *Aula*.

    A. ____

    B. ____

    C. ____

3. ¿Dónde está San Sebastián?

    ____

4. ¿Cómo se llama la famosa playa de San Sebastián?

    ____

5. ¿Qué se celebra cada septiembre en San Sebastián?

    ____

6 **Complete las siguientes oraciones con la forma correcta del imperfecto de los verbos entre paréntesis.**

1. A mí me ________________________ jugar con mis hermanos. (gustar)
2. Bernarda y yo ________________________ por teléfono todos los días. (hablar)
3. Sergio ________________________ muy buen estudiante. (ser)
4. Uds. ________________________ a la playa de vacaciones. (ir)
5. Tú ________________________ en la Calle de la Luz. (vivir)
6. Yo ________________________ al fútbol con mis vecinos. (jugar)
7. Mi padre ________________________ para un periódico. (trabajar)
8. Mi madre ________________________ televisión por las mañanas. (ver)
9. Mi vecino ________________________ muchos discos compactos. (tener)
10. ________________________ mucha gente en la ceremonia. (haber)

Nombre: ______________________________ Fecha: ______________

Lección B

1 Empareje cada ilustración con la palabra apropiada.

A. 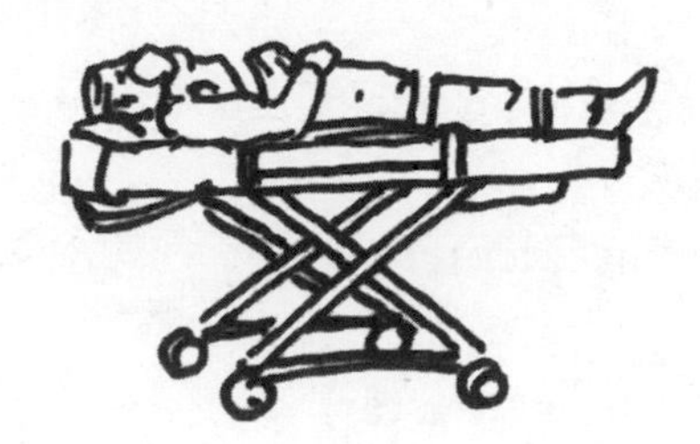

E. 

B. 

F. 

C. 

G. 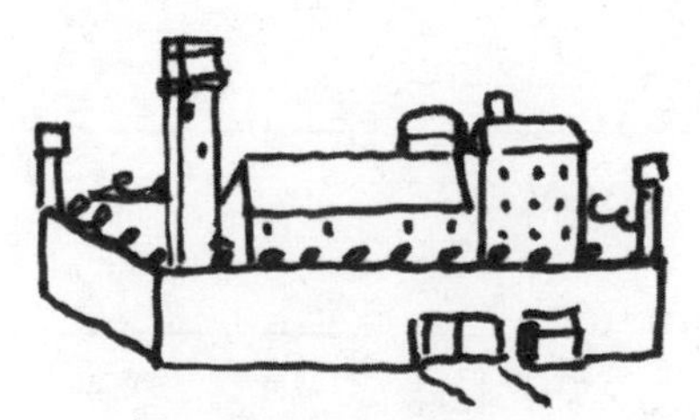

D. 

H. 

1. ______ la inundación
2. ______ la explosión
3. ______ el jurado
4. ______ la bomba
5. ______ el juicio
6. ______ la víctima
7. ______ la tormenta
8. ______ la cárcel

Nombre: ______________________ Fecha: ______________

2 **Complete las siguientes oraciones con el pretérito o el imperfecto de los verbos entre paréntesis, según corresponda.**

1. Antes yo siempre ______________ temprano por las mañanas. (levantarse)
2. Una vez Inés ______________ testigo de un accidente. (ser)
3. ¿Alguna vez ______________ tú un accidente? (ver)
4. A Cris le ______________ escribir cartas. (gustar)
5. Ayer ______________ un accidente delante de mi casa. (haber)
6. Tú ______________ para ir a la escuela todos los días. (prepararse)
7. De repente, mis amigos y yo ______________ una gran explosión. (oír)
8. En el festival de cine ______________ mucha gente. (haber)

3 **Complete las oraciones con el pretérito o el imperfecto de los verbos entre paréntesis.**

1. Anoche yo ______________ a la actriz Julieta Primavera en una fiesta. (conocer)
2. Finalmente, ______________ ¿ tú acabar la tarea antes de acostarte? (poder)
3. De niño, yo siempre ______________ hacer los crucigramas. (poder)
4. Los reporteros, como protesta, no ______________ ir a la rueda de prensa. (querer)
5. La policía ______________ arrestar al ladrón del banco. (querer)
6. Sara ______________ muy bien a mi hermana. (conocer)

Nombre: ______________________________ Fecha: ______________

4 **Escriba las palabras que corresponden a las siguientes descripciones.**

1. ______________________ La camioneta que lleva heridos al hospital.
2. ______________________ La persona que ve un accidente.
3. ______________________ La persona que ayuda a los heridos en una ambulancia.
4. ______________________ La persona que conduce un coche.
5. ______________________ Una persona que sufre un accidente.
6. ______________________ Dar un coche contra otro.

5 **Diga si las siguientes oraciones son ciertas (C) o falsas (F).**

1. C F Almería es una ciudad en Puerto Rico.
2. C F En Almería hacen muchas películas.
3. C F Clint Eastwood trabajó en Almería.
4. C F Almería está cerca del Mediterráneo.
5. C F Almería tiene paisajes perfectos para el cine.
6. C F Sevilla es la capital de España.
7. C F La Feria de Abril se celebra desde hace veinte años.
8. C F En Sevilla se celebraron los Juegos Olímpicos de 1992.
9. C F Sevilla fue parte del imperio romano.
10. C F La Giralda es un edificio importante de Sevilla.

Nombre: ______________________________ Fecha: ____________________

6 **Complete las siguientes oraciones con la forma apropiada del pluscuamperfecto de los verbos entre paréntesis.**

1. Los bomberos ya ______________________________ a las víctimas. (rescatar)
2. Mis compañeros ______________________________ el problema. (resolver)
3. Tú ______________________________ otros planes para el sábado. (hacer)
4. Cuando yo llegué, mi padre ya se ______________________________. (ir)
5. Los ladrones se ______________________________ cuando llamaron a la policía. (escapar)
6. Yo ______________________________ por el accidente, cuando vinieron los paramédicos. (desmayarse)

7 **Escoja la expresión apropiada de la lista para completar cada oración.**

que   en la que   el que   con quienes   a quien   la que

1. Los chicos ______________________ estaba ayer son paramédicos.
2. ______________________ me ayudó es la madre de mi vecino.
3. De mis primos, ______________________ es más inteligente es Pedro.
4. Éste es el coche ______________________ explotó ayer.
5. Juan Carlos es el actor ______________________ entrevisté para el periódico.
6. Ésta es la plaza ______________________ hubo un accidente.

Nombre: ______________________________ Fecha: ____________________

Capítulo 4

Lección A

1 Complete las siguientes oraciones con la palabra o expresión apropiada de la lista.

hacer un cumplido	tienen en común	perdonar	celoso	honesto
se reconciliaron	entrometida	increíble	confío	contar con

1. Eduardo es muy ______________________ y devolvió el reloj que se encontró.
2. Decirle a alguien que es guapo es ______________________.
3. Marcelino y Leo ______________________ después de discutir.
4. Una persona ______________________ quiere enterarse de todo.
5. No ______________________ en ella porque es muy chismosa.
6. Siempre puedes ______________________ los buenos amigos.
7. Ellos ______________________ que les gusta el cine.
8. Mi novio es muy ______________________ y no quiere que hable con otros chicos.
9. Algo que no se puede creer es ______________________.
10. Es bueno ______________________ a un amigo que se equivocó.

2 Conteste las siguientes preguntas, usando pronombres de objeto directo e indirecto y la información que se da.

1. ¿Le diste el regalo a María? (sí)

   ____

2. ¿Les explicaste el horario a los estudiantes nuevos? (no)

   ____

3. ¿Te compraste el último CD de Sting? (sí)

   ____

4. ¿Le enseñaste las fotos a tu amiga? (no)

   ____

5. ¿Me devolviste el libro que te presté? (sí)

   ____

3 Empareje cada ilustración con la palabra o expresión apropiada.

1. ______ las lágrimas
2. ______ la discusión
3. ______ acusar
4. ______ devolver
5. ______ la pelea
6. ______ dejar plantado/a
7. ______ llorar
8. ______ Discúlpame.

A.  

E. 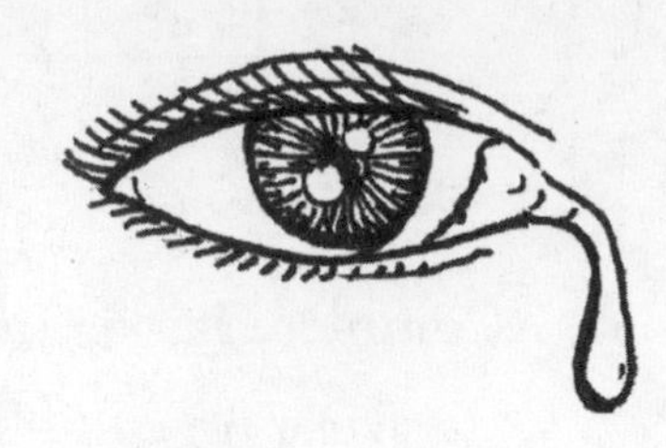

B. 

F. 

C. 

G.  

D. 

H.  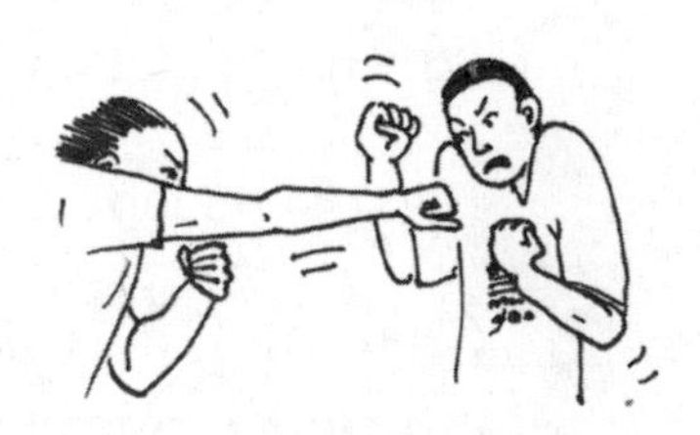

4 Diga si las siguientes oraciones son ciertas (C) o falsas (F).

1. C F Los taínos vivían sólo en la República Dominicana.
2. C F Los taínos eran un pueblo que vivía en Puerto Rico.
3. C F Muchas palabras de la lengua taína pasaron al español.
4. C F La salsa nació en Nueva York.
5. C F La salsa es un estilo musical de América del Sur.
6. C F Hay un grupo de salsa famoso en Japón.
7. C F La Fania organizó un concierto de salsa en Yankee Stadium en 1973.

Nombre: ______________________________ Fecha: ________________

5 **Escriba oraciones, usando el pretérito perfecto y la información que se da.**

1. mis padres / hacer un viaje a la República Dominicana

   ____

2. Verónica / abrir las ventanas

   ____

3. Uds. / escribir correos electrónicos a sus amigos

   ____

4. yo / discutir con mi mejor amigo

   ____

5. Raúl / contarme un secreto

   ____

6. Federico y yo / decir la verdad

   ____

7. tú / devolverle el libro a la maestra

   ____

8. mis amigos / ver todas las películas de Fermín Castellanos

   ____

9. tú y yo / pasarla bien en el cine

   ____

10. Germán / romper con su novia

    ____

Nombre: ______________________ Fecha: ______________

6 Marque la letra del significado correcto para cada oración.

1. Este edificio es muy antiguo.
   A. El edificio tiene muchos años. B. Yo antes vivía en este edificio.
2. Dejaron plantada a mi pobre amiga.
   A. Mi amiga no tiene dinero. B. Mi amiga no tiene suerte.
3. Este libro es único.
   A. Es un libro especial. B. Sólo hay un libro.
4. Hay diferentes estilos.
   A. Hay muchos estilos. B. Hay un estilo que no es igual a los demás.
5. Juan es un viejo amigo.
   A. Mi amigo tiene muchos años. B. Conozco a mi amigo desde hace muchos años.
6. Es una familia muy pobre.
   A. No tienen dinero. B. No tienen suerte.
7. Conseguí un nuevo televisor.
   A. Es distinto al de antes. B. No se ha usado nunca.
8. Es un buen estudiante.
   A. Tiene talento. B. Es muy amable.
9. Es una gran ciudad.
   A. Mucha gente vive en la ciudad. B. Es una ciudad muy interesante e importante.
10. Es un profesor muy bueno.
    A. Es muy amable. B. Enseña muy mal.

Nombre: ____ Fecha: ____________________

Lección B

1 Complete las siguientes oraciones con la palabra o expresión apropiada de la lista.

levantes la voz	diferencia de opinión	conflicto	critican
relación	comportamiento	reaccionó	respetar
tal como	hago caso	hicimos las paces	adulto

1. Mi hermana y yo tuvimos una ____________________ .
2. Yo siempre les ____________________ a mis padres.
3. ¡No me ____________________ !
4. Después de nuestra pelea, José y yo ____________________ .
5. Los jóvenes tenemos que ____________________ a los adultos.
6. Tienes que aceptarme ____________________ soy.
7. No me gusta el ____________________ de Susana con sus padres.
8. A veces, los adultos ____________________ demasiado a los jóvenes.
9. Jorge ____________________ muy mal cuando le dijeron que estaba equivocado.
10. Yo intento tener una buena ____________________ con mis padres.
11. Un problema entre dos personas es un ____________________ .
12. Una persona que no es ni un niño ni un joven es un ____________________ .

Nombre: ______________________ Fecha: ____________

2 **Escriba los siguientes mandatos como mandatos negativos informales.**

1. Haz caso de lo que te digo.

   ____

2. Sé aburrido.

   ____

3. Dame muchos consejos.

   ____

4. Levanta la voz.

   ____

5. Critica a todo el mundo.

   ____

6. Acéptame tal como soy.

   ____

3 **Complete el siguiente diálogo con la preposición *a* cuando sea necesario.**

— Hola, Pepe. ¿Quieres (1) _____ venir (2) _____ una fiesta?

— No sé. ¿Quién va (3) _____ ir?

— Mucha gente. Benito, Lucía, Sam,... ¡Vamos (4) _____ pasarlo (5) _____ muy bien!

— No conozco (6) _____ nadie. Pero bueno, iré contigo.
¿(7) _____ qué hora es la fiesta?

— (8) _____ las nueve.

Nombre: ______________________________ Fecha: ____________________

4 **Empareje cada ilustración con la palabra o expresión apropiada.**

A. 

E. 

B. 

F. 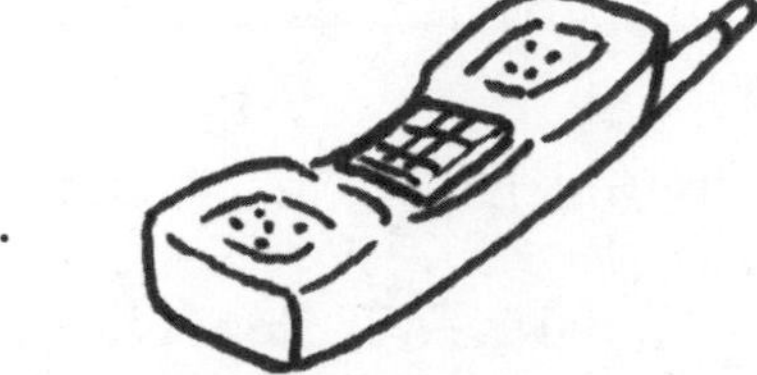

C. 

G. 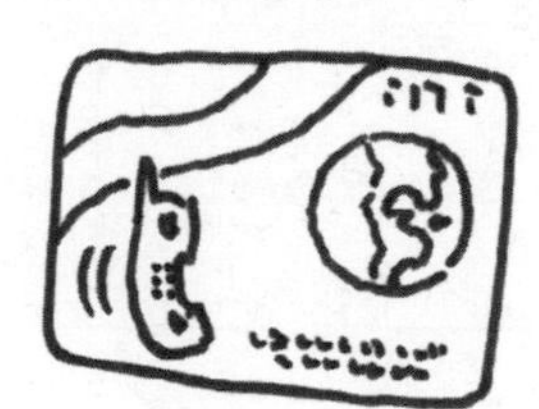

D. 

H. 

1. ______ colgar
2. ______ el operador
3. ______ el contestador automático
4. ______ el teléfono inalámbrico
5. ______ la guía telefónica
6. ______ sonar
7. ______ la tarjeta telefónica
8. ______ marcar

Nombre: ______________________________ Fecha: ______________

5 **Marque la letra de la respuesta que mejor completa cada oración.**

1. Juan Luis Guerra es un… dominicano.
   A. cantante
   B. pintor
2. 4-40 es…
   A. el grupo musical de Juan Luis Guerra.
   B. una carretera de Santo Domingo.
3. Hoy en día Juan Luis Guerra…
   A. no trabaja.
   B. es famoso en todo el mundo.
4. Los jóvenes dominicanos de hoy…
   A. se parecen a los jóvenes estadounidenses.
   B. no se parecen en nada a los jóvenes estadounidenses.
5. Los… son muy populares en la República Dominicana.
   A. paseos
   B. deportes extremos
6. Las expresiones que usan los jóvenes dominicanos tienen influencia…
   A. del latín.
   B. del inglés.

6 **Complete las oraciones con el pretérito imperfecto progresivo de los verbos entre paréntesis.**

1. Yo te ______________________________ cuando llegaste. (llamar)
2. Cuando salí de casa ______________________________ a llover. (empezar)
3. Mis amigos ______________________________. (dormir)
4. ¿Tú ______________________________ la guía? (consultar)
5. Uds. ______________________________ la tarea. (acabar)
6. Ella me ______________________________ un correo electrónico cuando la llamé. (escribir)
7. Sofía ______________________________ tu número. (marcar)
8. Nosotros ______________________________ a nuestra familia. (visitar)
9. Ayer yo ______________________________ cuando llegó mi tía. (estudiar)
10. El teléfono ______________________________ cuando tú estabas en la ducha. (sonar)

Nombre: ______________________________ Fecha: ______________

Capítulo 5

Lección A

1 Empareje cada ilustración con la palabra o expresión apropiada.

A.

F.
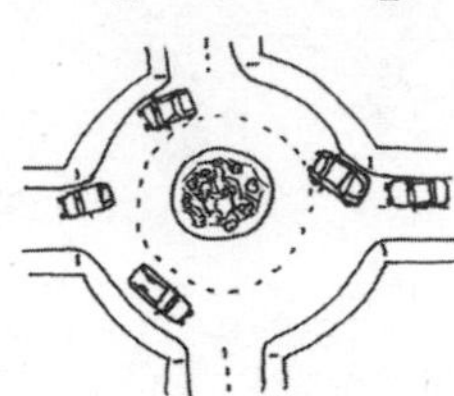

B.
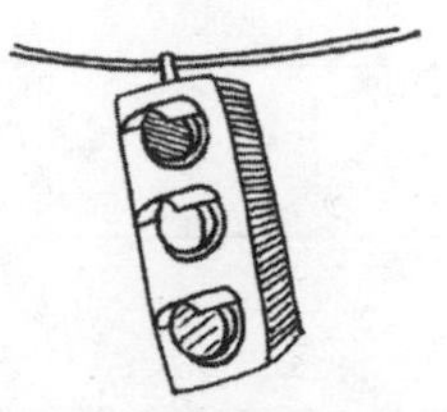

G.
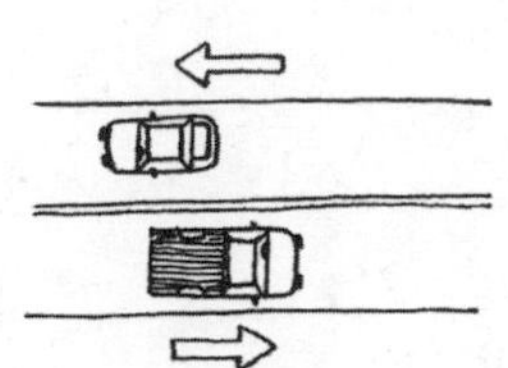

C.
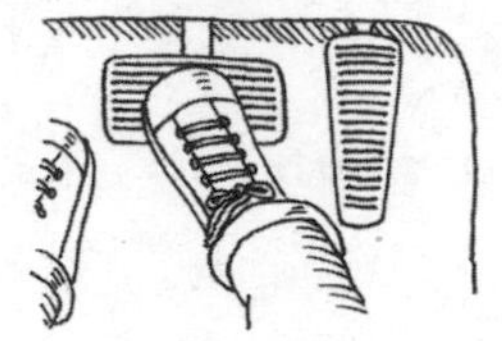

H.

D.

I.
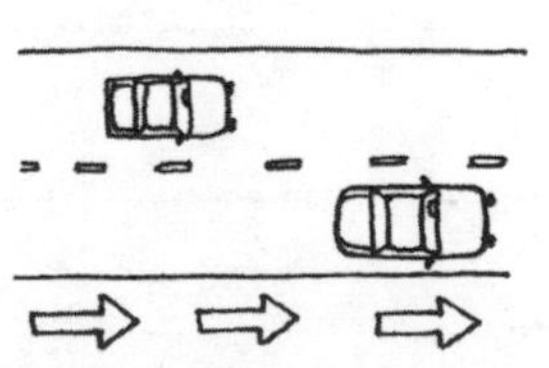

E.

J.
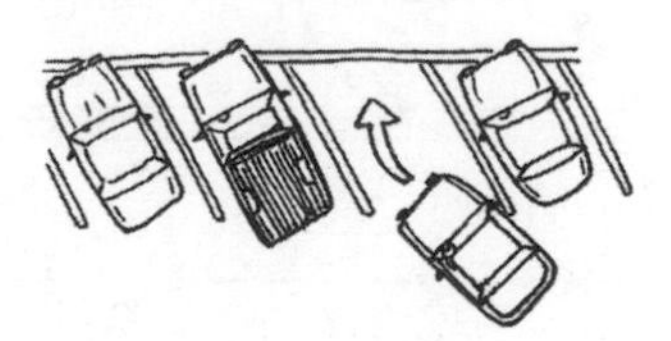

1. ______ prohibido doblar
2. ______ parar en la esquina
3. ______ estacionar
4. ______ licencia de conducir
5. ______ calle de doble vía
6. ______ glorieta
7. ______ calle de una sola vía
8. ______ semáforo
9. ______ espejo retrovisor
10. ______ pisar

Nombre: ______________________________ Fecha: ________________

2 **Use la información para escribir mandatos con *Ud.* o *Uds.***

1. Ud. / pisar el freno ______________________________
2. Uds. / salir del estacionamiento ______________________________
3. Ud. / no cruzar en rojo ______________________________
4. Uds. / leer las normas ______________________________
5. Ud. / ser prudente ______________________________
6. Uds. / dar la vuelta ______________________________
7. Ud. / ir a la esquina ______________________________
8. Uds. / estar preparados ______________________________

3 **Escriba los mandatos de la actividad dos como mandatos con *nosotros.***

1. ______________________________
2. ______________________________
3. ______________________________
4. ______________________________
5. ______________________________
6. ______________________________
7. ______________________________
8. ______________________________

Nombre: ________________________________ Fecha: ________________

4 **Complete las siguientes oraciones con la palabra o expresión apropiada de la lista.**

dónde se encuentra	parquímetro	afueras	atasco
llenar el tanque	autopista	zonas verdes	kiosco
ponga una multa	perdido		

1. Hay un ________________ en la carretera.
2. Es mejor tomar la ________________ para ir a la ciudad.
3. En mi ciudad hay muchas ________________ para pasear.
4. Mis abuelos viven en las ________________ de la ciudad.
5. Por favor, no me ________________.
6. Quiero ________________ porque no me queda gasolina.
7. Voy a comprar el diario al ________________.
8. No sé dónde estoy. ¡Estoy ________________!
9. ¿________________ la Plaza de Mayo?
10. Pon monedas en el ________________ para estacionar.

Nombre: ______________________________ Fecha: ______________

5 **Diga si las siguientes oraciones son ciertas (C) o falsas (F).**

1. C F Muy poca gente usa el subte en Buenos Aires.
2. C F Los colectivos en Buenos Aires tardan mucho en llegar.
3. C F Los colectivos funcionan todo el día.
4. C F Mafalda es un personaje de una historieta argentina.
5. C F Quino es el creador de Mafalda.
6. C F Las historietas de Mafalda sólo se leen en Argentina.

6 **Complete las oraciones con la forma apropiada del subjuntivo de los verbos entre paréntesis.**

1. El policía no quiere que nosotros ______________________________ aquí. (estacionar)
2. Es necesario que Uds. ______________________________ en el semáforo si está rojo. (parar)
3. Es importante que tú ______________________________ el tanque de gasolina antes de viajar. (llenar)
4. Quiero que Uds. ______________________________ al coche. (subir)
5. Es mejor que yo no ______________________________ la velocidad. (exceder)
6. Uds. quieren que yo ______________________________ a manejar. (aprender)
7. Mis padres quieren que mi hermano ______________________________ las normas de tránsito. (saber)
8. Es importante que ella ______________________________ el permiso. (traer)

Nombre: ______________________________ Fecha: ________________

Lección B

1 Empareje cada definición de la izquierda con la palabra o expresión apropiada de la derecha.

1. _____ Lugar del tren donde sirven comida.
2. _____ Lugar del tren donde se puede dormir.
3. _____ Sitio donde un viajero se sienta.
4. _____ Persona que revisa los boletos en el tren.
5. _____ Tren que para en todas las estaciones.
6. _____ Lugar donde venden los boletos.
7. _____ Persona que viaja.
8. _____ Lugar de la estación donde se sube al tren.
9. _____ Cambiar de un tren a otro.
10. _____ Llegar más tarde de la hora.
11. _____ Cada uno de los coches de un tren.
12. _____ Tren que no para en todas las estaciones.

A. con retraso
B. coche cama
C. viajero
D. inspector
E. coche comedor
F. boletería
G. andén
H. hacer transbordo
I. asiento
J. local
K. rápido
L. vagón

Nombre: ______________________ Fecha: ______________

2 **Complete las oraciones con la forma apropiada del subjuntivo de los verbos entre paréntesis.**

1. Es increíble que tú no ______________ dónde está el andén. (saber)
2. Es inútil que nosotros ______________ a la estación tan tarde. (ir)
3. Es malo que ______________ retraso. (haber)
4. Es bueno que ella le ______________ el boleto al inspector. (dar)
5. Es una suerte que el tren ______________ a tiempo. (estar)
6. Es una lástima que Uds. ______________ perdidos. (estar)
7. Es bueno que yo ______________ dónde está el coche comedor. (saber)
8. Es una lástima que tus padres ______________ tan pronto. (irse)
9. Es importante que ustedes ______________ el boleto en la boletería. (comprar)
10. Es una suerte que yo ______________ comida tan buena. (comer)

3 **Escriba oraciones con el subjuntivo y la información que se da.**

1. es bueno que / tú pensar en los viajeros

____

2. es una suerte que / nosotros dormir en el coche cama

____

3. es una lástima que / ellos no volver este año

____

4. es malo que / ella perder el tren

____

Nombre: ______________________________ Fecha: ______________

4 **Escriba la palabra o expresión que corresponde a cada ilustración.**

1. ______________ 2. ______________ 3. ______________ 4. ______________

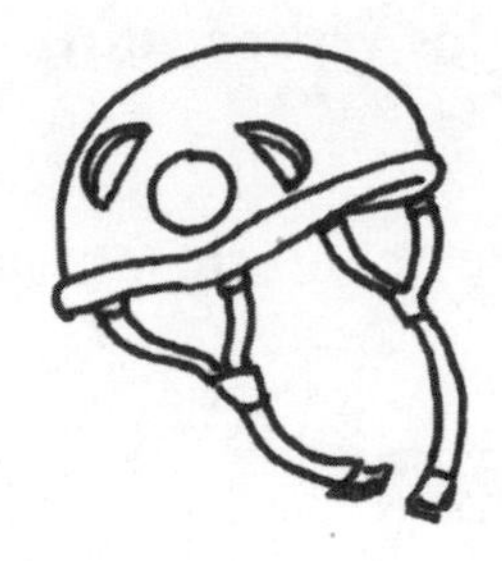   

5. ______________ 6. ______________ 7. ______________ 8. ______________

5 **Marque la letra de la respuesta que mejor completa cada oración.**

1. El tren de la poesía hace homenaje a…
   A. García Marquez. B. Pablo Neruda.
2. El tren de la poesía pasa por…
   A. pueblos chilenos. B. pueblos argentinos.
3. En Chile hay…
   A. cinco parques nacionales. B. treinta y dos parques nacionales.
4. En los parques nacionales chilenos…
   A. se protege la flora y la fauna. B. se pueden hacer fogatas.

Nombre: ______________________________ Fecha: ________________

6 **Complete las siguientes oraciones usando *por* o *para,* según corresponda.**

1. Envío un mensaje ______________________ correo electrónico.
2. Compro una linterna ______________________ mi amigo.
3. Te cambio este casco ______________________ esos binoculares.
4. Necesito los boletos ______________________ mañana.
5. ¿Quieres fósforos ______________________ encender la fogata?
6. Voy a pasear ______________________ el sendero.

7 **Complete las oraciones con la forma apropiada del subjuntivo de los verbos entre paréntesis.**

1. Te recomiendo que ______________________ repelente de insectos. (usar)
2. El instructor exige que nosotros ______________________ botas. (llevar)
3. Mi amiga necesita que ustedes ______________________ la tienda de campaña. (comprar)
4. Mi madre sugiere que tú ______________________ un paseo por el valle. (dar)
5. El guía nos pide que no ______________________ fogatas. (hacer)
6. La profesora espera que ellos la ______________________ bien. (pasar)

Nombre: ______________________________ Fecha: ____________

Capítulo 6

Lección A

1 Complete el diálogo con las palabras o expresiones apropiadas de la lista.

tan pronto como	cheques de viajero	reserva	cancelar	sujeto a cambio
descuentos	por adelantado	hasta que	confirmación	confirmar

BENITO: Buenas tardes, quiero hacer una (1) ______________________________ para Panamá.

AGENTE: Muy bien, pero (2) ______________________________ no pague la reserva, el boleto está (3) ______________________________.

BENITO: No hay problema. (4) ______________________________ sepa la fecha, voy a (5) ______________________________ la reserva.

AGENTE: Muy bien. ¿Es Ud. estudiante? Ahora tenemos (6) ______________________________ para estudiantes…

BENITO: Sí, soy estudiante. ¿Tengo que pagar (7) ______________________________?

AGENTE: No, no es necesario. No tiene que pagar hasta después de la (8) ______________________________.

BENITO: ¿Puedo (9) ______________________________ la reserva sin previo aviso?

AGENTE: Sí, puede cancelarla o confirmarla hasta una semana antes del viaje.

BENITO: Ah, qué bien. La última pregunta. ¿Aceptan Uds. (10) ______________________________?

AGENTE: Sí, puede pagar con cheques de viajero, tarjeta de crédito o dinero en efectivo.

Nombre: ______________________________ Fecha: ______________

2 **Complete las siguientes oraciones con las formas apropiadas del subjuntivo de los verbos entre paréntesis.**

1. Tan pronto como yo ______________________ vacaciones, voy a planear un viaje. (tener)
2. Van a recibir los boletos en cuanto Uds. los ______________________. (pagar)
3. Después de que ellos ______________________, vamos a ir al cine. (llegar)
4. Hasta que tú no ______________________ la tarea, no podrás salir. (terminar)
5. Antes de que tú ______________________, ponte la chaqueta. (salir)
6. En cuanto Ud. ______________________, llámeme. (ir)
7. ¿Tiene Ud. una fecha para que yo le ______________________ la confirmación? (hacer)
8. Te llamaremos en cuanto ellos nos ______________________ cuándo vienen. (decir)
9. No podré comprar el boleto hasta que tú no me ______________________ dinero. (dar)
10. Viajarán en avión tan pronto como ella ______________________ lista. (estar)
11. No haré ningún plan hasta que la agencia me ______________________ el vuelo. (confirmar)
12. Tendré que esperar dos horas para que ellos me ______________________ a la ciudad. (llevar)

Nombre: ______________________________ Fecha: ____________________

3 **Complete las siguientes oraciones con la palabra o expresión apropiada entre paréntesis.**

1. Saldremos tarde porque nuestro avión está ______________________.
   (disponible / retrasado)
2. Cuando hay una ______________________ el avión se mueve mucho.
   (turbulencia / nube)
3. Preséntese en la ______________________ para embarcar.
   (puerta de embarque / tarjeta de embarque)
4. Tienes que ______________________ cuando estés en el avión.
   (asustarte / relajarte)
5. Hay mucha gente. Tenemos que ______________________. (hacer fila / perder)
6. El niño ______________________ porque oyó un trueno.
   (se presentó / se asustó)
7. Parece que va a llover; va a caer un ______________________. (niebla / aguacero)
8. No puedo ______________________ que no me gusta volar. (negar / perder)
9. Si no vas deprisa, vas a ______________________ el avión. (relajarte / perder)
10. La señorita me pide la ______________________ para subir al avión.
    (tarjeta de embarque / fila)

4 **Diga si las siguientes oraciones son ciertas (C) o falsas (F).**

1. C F Los panameños dicen que Panamá son tres ciudades.
2. C F En Panamá sólo hay tres ciudades.
3. C F No queda nada del Panamá Colonial.
4. C F La Panamá Vieja fue destruida por un pirata.
5. C F San Blas en una isla muy grande.
6. C F Se tarda un día en avión en llegar a San Blas.
7. C F En San Blas viven los indios kuna.
8. C F En muchas islas de San Blas no hay electricidad.

Nombre: ______________________________ Fecha: ____________________

5 **Escriba las siguientes oraciones en el futuro.**

1. Esteban no viene a clase.

____

2. Nosotros no podemos embarcar.

____

3. Los aviones salen con retraso.

____

4. Tú tienes planes para ir a Panamá.

____

5. Yo me pongo la chaqueta para salir.

____

6. Uds. viajan mucho.

____

6 **Escriba oraciones con el subjuntivo y la información que se da. Siga el modelo.**

MODELO yo no creer / ellos llegar tarde
No creo que ellos lleguen tarde.

1. Sonia dudar / Juan poder visitarla

____

2. Dani y yo negar / los boletos ser caros

____

3. Uds. no estar seguros de / hacer buen tiempo durante el viaje

____

4. tú no creer / nosotros ir en avión

____

Nombre: ______________________________ Fecha: ______________

Lección B

1 Empareje cada ilustración con la palabra o expresión apropiada.

A. 

F. 

B. 

G. 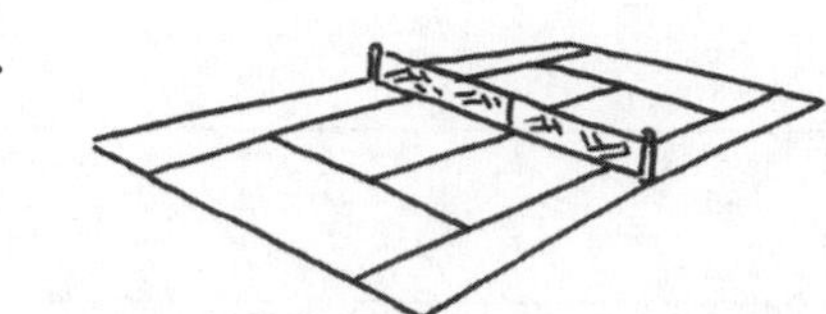

C. 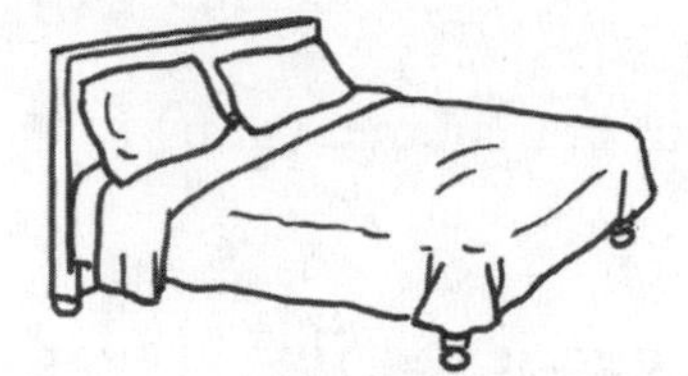

H. 

D. 

I. 

E. 

J. 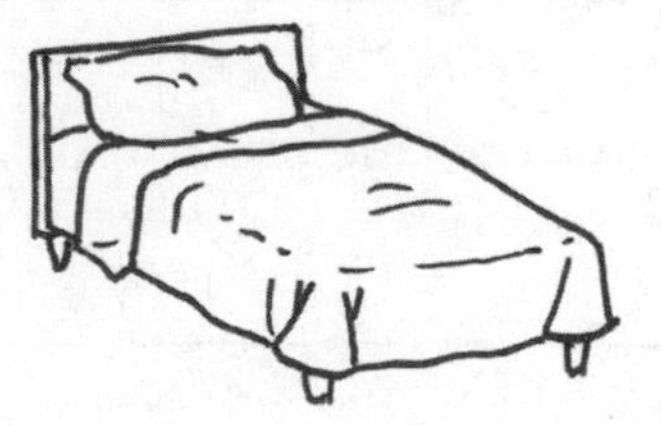

1. ______ la bañera
2. ______ el albergue juvenil
3. ______ el registro
4. ______ la conserje
5. ______ la cama doble
6. ______ colchón firme
7. ______ la cancha de tenis
8. ______ colchón blando
9. ______ dar a (la playa)
10. ______ la cama sencilla

Nombre: ____________________ Fecha: ____________________

2 **Complete las oraciones con la forma apropiada del condicional del verbo entre paréntesis.**

1. Yo ____________________ en un albergue juvenil. (quedarse)
2. Pilar ____________________ una cama blanda. (preferir)
3. Nosotros ____________________ el hotel por adelantado. (pagar)
4. El conserje me ____________________ una habitación con vista al mar. (dar)
5. Uds. ____________________ en avión. (viajar)
6. Las chicas ____________________ una habitación doble. (tener)
7. Mis padres ____________________ llegar el domingo al hotel. (querer)
8. Tú ____________________ temprano por la mañana. (salir)

3 **Escriba oraciones con el condicional y la información que se da. Siga el modelo.**

MODELO ¿darme / Ud. / una habitación con bañera?
¿Me daría Ud. una habitación con bañera?

1. ¿tener / Uds. / habitaciones disponibles?

   ____

2. ¿poder / tú / traerme un vaso de agua?

   ____

3. ser las tres de la tarde / cuando nosotros / llegar al albergue

   ____

4. la conserje / tener / unos treinta años

   ____

Nombre: ______________________________ Fecha: ________________

4 **Escriba la palabra o expresión que corresponde con cada ilustración.**

1. ________________ 2. ________________ 3. ________________ 4. ________________

5. ________________ 6. ________________ 7. ________________ 8. ________________

  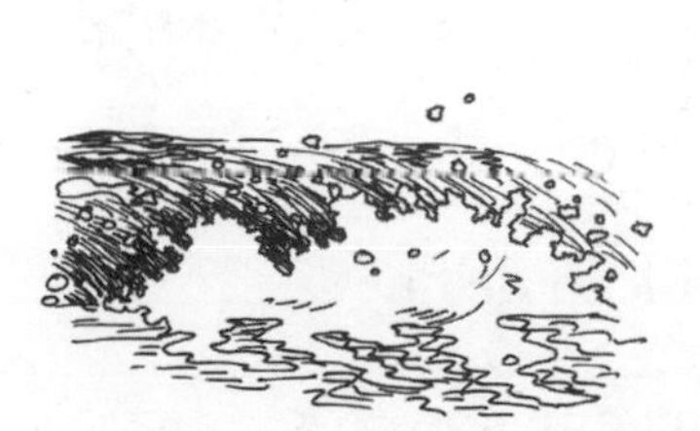 

9. ________________ 10. ________________ 11. ________________ 12. ________________

Nombre: ______________________________ Fecha: ________________

5 **Marque la letra de la respuesta que mejor completa cada oración.**

1. El volcán Arenal estuvo durmiendo…
   A. 400 años. B. 40 años.
2. Hoy día, en el volcán Arenal hay erupciones cada…
   A. dos días. B. dos horas.
3. Cerca del volcán Arenal hay…
   A. otro volcán. B. una playa muy famosa.
4. Las tortugas de Tortuguero son…
   A. verdes. B. rojas.
5. Una tortuga puede pesar…
   A. 5 kilos. B. 200 kilos.
6. Las tortugas llegan a Tortuguero…
   A. en primavera. B. en verano.

6 **Complete las oraciones con la forma apropiada del subjuntivo de los verbos entre paréntesis.**

1. Me agrada que la gente ______________________ a los animales. (proteger)
2. Tú temes que yo ______________________ en la reserva. (perderse)
3. Nos interesa que el viaje ______________________ divertido. (ser)
4. A ella le fastidia que tú no ______________________ temprano. (levantarse)
5. Me preocupa que mi hermano no ______________________ qué hacer. (saber)
6. A mis padres les alegra que nosotros la ______________________ bien. (pasar)
7. Te molesta que ellos no ______________________ venir a visitarte. (querer)
8. ¿Tienes miedo de que ______________________ jaguares? (haber)
9. Me fascina que nosotros ______________________ ver tantos animales. (poder)
10. Mi hermana teme que ellos ______________________ mucho caminando por el parque. (cansarse)

Nombre: ______________________ Fecha: ______________

Capítulo 7

Lección A

1 **Mire la ilustración y escriba la palabra o expresión correspondiente en cada número.**

1. ______________________
2. ______________________
3. ______________________
4. ______________________
5. ______________________
6. ______________________
7. ______________________
8. ______________________
9. ______________________
10. ______________________

Nombre: ______________________________ Fecha: ______________

2 **Complete las siguientes oraciones con las palabras comparativas de igualdad apropiadas. Siga el modelo.**

MODELO Las manzanas están tan verdes como los plátanos.

1. Tengo ____________________ cerezas como damascos.
2. Yo cocino ____________________ bien como tú.
3. Mi hermano corre ____________________ rápido como el viento.
4. Hay ____________________ pan como queso.
5. Necesitas ____________________ gramos de perejil como de orégano.
6. Esta sopa está ____________________ sabrosa como esos frijoles.

3 **Escriba oraciones usando el superlativo y la información que se da. Siga el modelo.**

MODELO estas cerezas / + dulces / el mercado
Estas cerezas son las más dulces del mercado.

1. estos ajíes / + picante / el puesto

____

2. esos damascos / + malo / todos

____

3. mi hermano / + joven / la familia

____

4. este restaurante / + bueno / la ciudad

____

Nombre: ____________________ Fecha: ____________

4 **Complete las siguientes oraciones con la palabra o expresión apropiada entre paréntesis.**

1. Para cocinar los fideos tienes que ____________ el agua. (hervir / asar)
2. Usa la ____________ para batir los huevos. (sartén / batidora)
3. Corta el repollo en ____________. (pedazos / yemas)
4. La parte amarilla del huevo es la ____________. (yema / clara)
5. Necesito un ____________ de ajo para esta receta. (litro / diente)
6. ____________ la salsa, por favor. (Revuelve / Pica)
7. Mezcla los ingredientes en un ____________. (pedazo / recipiente)
8. Tengo que ____________ el pastel durante dos horas. (pelar / hornear)
9. Antes de tocar la asadera, tienes que dejarla ____________. (enfriar / calentar)
10. ¿Puedes ____________ las papas, por favor? (pelar / batir)

5 **Escoja la letra de la opción que mejor completa cada oración.**

1. El carnaval de Oruro se celebra cada año en…
   A. Bolivia. B. Ecuador.
2. Oruro es…
   A. un pueblo de pescadores. B. un pueblo minero.
3. La yuca es una planta de la familia de…
   A. la papa. B. la cebolla.
4. La yuca es…
   A. alimenticia y barata. B. un alimento de lujo.

Nombre: ______________________________ Fecha: ______________

6 Escriba las siguientes oraciones en voz pasiva. Siga el modelo.

MODELO Yo corto la manzana.
La manzana es cortada por mí.

1. Mi madre pone la mesa.

____

2. Juan abre el horno.

____

3. Serafina pica el ajo.

____

4. Ellos pelan las papas.

____

7 Complete las siguientes oraciones con la forma *estar* + participio de los verbos entre paréntesis. Siga el modelo.

MODELO La cebolla está picada. (picar)

1. El horno ______________________________. (abrir)
2. La clara ______________________________. (batir)
3. Los fideos ______________________________. (hervir)
4. La receta ______________________________. (escribir)
5. El pastel ______________________________. (hacer)
6. Las verduras ______________________________. (cocer)

Nombre: ______________________________ Fecha: ______________

8 **Complete las oraciones con la forma pasiva de *se* y la información que se da. Siga el modelo.**

MODELO En Bolivia se come mucha yuca. (comer)

1. En este restaurante ______________________ comida peruana. (servir)
2. Dos platos ______________________. (romper)
3. El pastel ______________________ con harina y nuevo. (hace)
4. Aquí ______________________ muy bien español. (hablar)
5. Para hacer pasta, primero ______________________ los fideos en agua. (hervir)
6. Antes de servir la ensalada, ______________________ los ingredientes. (mezclar)

Nombre: ______________________________ Fecha: ______________

Lección B

1 Empareje las descripciones de la izquierda con la palabra correspondiente de la derecha.

_____ 1. La persona que va a la fiesta de otra. | A. bostezar
_____ 2. Lo que hacemos con la comida y los dientes. | B. bailable
_____ 3. Se hace cuando está cansado o tiene sueño. | C. darse la mano
_____ 4. La persona que da una fiesta. | D. anfitrión / anfitriona
_____ 5. La persona que pone la música en una fiesta. | E. modales
_____ 6. Una música que se puede bailar. | F. masticar
_____ 7. Se hace cuando le presentan a alguien. | G. parlante
_____ 8. Las reglas para comportarse bien. | H. interrumpir
_____ 9. Cortar la conversación de alguien. | I. disc jockey
_____ 10. El aparato por el que sale la música de un estéreo. | J. invitado/a

2 Complete las siguientes oraciones con la forma apropiada del imperfecto del subjuntivo de los verbos entre paréntesis. Siga el modelo.

MODELO Era importante que tú te comportaras bien. (comportarse)

1. Dijo el anfitrión que tú ______________________ también a la fiesta. (ir)
2. Yo quería que ellos ______________________ bocadillos. (traer)
3. Sugerí que Jaime no ______________________ la conversación. (interrumpir)
4. Esperaba que ellos no ______________________ durante el discurso. (bostezar)
5. Era necesario que nosotros ______________________ de todo. (encargarse)
6. Fue interesante que Luz ______________________ a visitarlos. (ir)

Nombre: ______________________________ Fecha: ________________

3 **Empareje cada ilustración con la palabra o expresión apropiada.**

A. 

F. 

B. 

G. 

C. 

H. 

D. 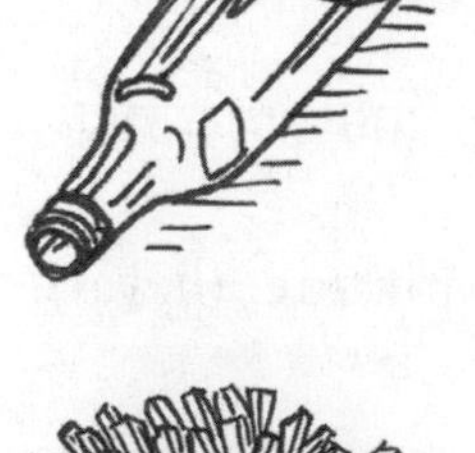

I. 

E. 

J. 

1. _____ la parrilla
2. _____ las papas fritas
3. _____ la botella
4. _____ las especias
5. _____ los fideos
6. _____ quejarse
7. _____ el salmón
8. _____ asado
9. _____ el bistec
10. _____ el cliente

Nombre: ______________________ Fecha: ______________

4 **Diga si las siguientes oraciones son ciertas (C) o falsas (F).**

1. C F El Inti Raymi es una fiesta de la luna.
2. C F Inti Raymi quiere decir "año nuevo".
3. C F El Inti Raymi se celebra a principios del invierno.
4. C F El Inti Raymi es una celebración maya.
5. C F El sancochao a la limeña se hace en la capital de Perú.
6. C F La cocina peruana es igual en todas las regiones del país.
7. C F "Sancochao" quiere decir "hervido".
8. C F Para hacer sancochao a la limeña se necesitan almendras.

5 **Complete las siguientes oraciones con la forma apropiada del presente del subjuntivo o del indicativo de los verbos entre paréntesis. Siga el modelo.**

MODELOS Busco un cocinero que sepa hacer ceviche. (saber)
Doña Luisa sabe hacer unos postres deliciosos. (saber)

1. Quiero que alguien me ______________ a cocinar. (enseñar)
2. Yo conozco a una persona que ______________ cocinera. (ser)
3. Esta salsa, que ______________ muchas especias, es riquísima. (tener)
4. Yo prefiero una salsa que no ______________ tanto picante. (llevar)
5. ¿Hay alguien que ______________ un restaurante peruano? (conocer)
6. No conozco a nadie a quien le ______________ el perejil. (gustar)
7. Necesitamos a alguien que ______________ cocinar platos peruanos. (poder)
8. Mi amiga, que ______________ cocinar platos peruanos, nos va a ayudar. (saber)
9. Esta salsa, que no ______________ picante, está riquísima. (ser)
10. Mi madre quiere que alguien le ______________ a hacer pasteles. (enseñar)

Nombre: ______________________________ Fecha: ________________

6 **Escriba una respuesta para cada pregunta, usando la nominalización y la información que se da. Siga el modelo.**

MODELO ¿Te gusta la sopa de pollo? (preferir / tener cebolla)
Prefiero la que tiene cebolla.

1. ¿Cuál es la mejor salsa del restaurante? (tener / especias peruanas)

____

2. ¿Qué plato prefieres? (ser / más dulce)

____

3. ¿Quieres salmón ahumado? (no / querer / estar marinado)

____

4. ¿Cuál es el mejor restaurante de la ciudad? (estar / cerca de mi casa)

____

5. ¿Qué plato te gustó más? (mejor / cordero asado)

____

6. ¿Qué quieres comer? (tú / pedir)

____

Nombre: ______________________________ Fecha: ______________

Capítulo 8

Lección A

1 Empareje cada ilustración con la palabra o expresión apropiada.

A. 

B. 

C. 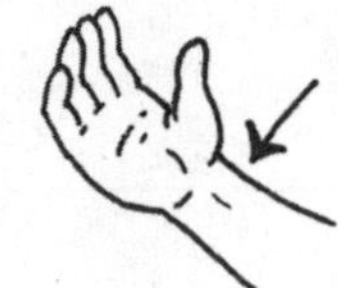

D. 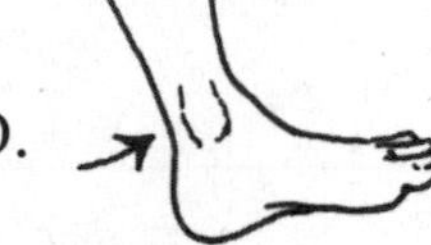

E. 

F. 

G. 

H. 

I. 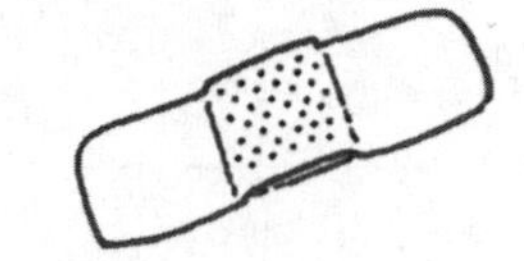

J. 

K. 

L. 

1. _____ tropezar
2. _____ la silla de ruedas
3. _____ la aspirina
4. _____ la muleta
5. _____ el tobillo
6. _____ la muñeca
7. _____ el corte
8. _____ quebrarse
9. _____ la curita
10. _____ la radiografía
11. _____ el antiséptico
12. _____ examinar

Nombre: ______________________________ Fecha: ______________

2 **Complete las primeras cinco oraciones con el futuro perfecto de los verbos entre paréntesis y las cinco oraciones siguientes con el condicional perfecto de los verbos entre paréntesis. Siga el modelo.**

MODELO Cuando hable con el doctor, él ya me habrá quitado el yeso. (quitar)
El doctor dijo que para el lunes ya me habría quitado el yeso. (quitar)

1. Para la semana que viene nosotros ya ______________________ los exámenes. (terminar)
2. Cuando salga de la clínica, yo ya ______________________ del accidente. (olvidarse)
3. Para el mes próximo el futbolista ya ______________________ para el campeonato. (entrenarse)
4. Cuando lleguemos al hospital ______________________ de llover. (dejar)
5. Para las ocho los doctores ______________________ a todos los pacientes. (examinar)
6. Mi madre dijo que cuando llamemos ella ya ______________________ el pastel. (preparar)
7. Si tú tuvieras mi herida, para el lunes tú ______________________ todas las curitas. (usar)
8. Mis amigos dijeron que para el viernes ______________________ toda la casa. (pintar)
9. La enfermera creía que para el fin de semana a mí ya me ______________________ los puntos. (sacar)
10. Para el martes a Lucía ya le ______________________ las vendas. (cambiar)

3 **Numere las siguientes oraciones para poner en orden el diálogo.**

_____ A. A ver, le voy a tomar la presión. ¿Está tomando algún remedio?
_____ B. Sí, empecé a tomar aspirinas.
_____ C. ¡Pensé que sería alergia!
_____ D. Hola, doctor. Estoy tosiendo mucho y me siento mal.
_____ E. Creo que tiene una infección en los pulmones. Le voy a dar antibióticos.
_____ F. No se preocupe. Para la semana próxima ya se habrá curado.
_____ G. ¡Qué bien! Muchas gracias, doctor.

Nombre: ______________________________ Fecha: ________________

4 **Diga si las siguientes oraciones son ciertas (C) o falsas (F).**

1. C F Los mayas usaban muchos remedios naturales.
2. C F Las espinacas eran un remedio que los mayas usaban mucho.
3. C F Los mayas recomiendan el ajo para la presión alta.
4. C F Según los mayas, la zanahoria es buena para la vista.
5. C F Los mayas usaban la piña y la sandía como remedios.
6. C F Los doce remedios más usados por los mayas, aún se usan hoy en día.
7. C F En Guatemala hay muchos baños termales.
8. C F El agua de los baños termales sale muy fría.
9. C F En Guatemala hay muchos volcanes.
10. C F En el balneario Los Vahos, los baños son de vapor.
11. C F La gente va a los baños termales para nadar y hacer ejercicio.

Nombre: ______________________________ Fecha: ____________________

5 **Escriba oraciones con *hace... que* o *hacía... que* y la información que se da. Siga el modelo.**

MODELOS hace / dos semanas / yo caerme
Hace dos semanas que me caí.

hacía / un mes / él / usar muletas
Hacía un mes que él usaba muletas.

1. hacía / cinco años / yo / no sentirme tan mal
____

2. hace / cinco minutos / ella / estar estornudando
____

3. hace / casi una semana / mis hermanos / tener la gripe
____

4. hace / dos horas / Ud. / dolerle la barriga
____

5. hacía / tres semanas / el doctor / no recetar antibióticos
____

6. hace / dos días / mi madre / quebrarse la pierna
____

7. hacía / un año / tú / no desmayarse
____

8. hace / una semana / yo / torcerme el tobillo
____

9. hacía / dos meses / nosotros / no ver a tía Aurora
____

10. hace / cinco minutos / yo / hablar con el doctor
____

Nombre: ____________________ Fecha: ____________

Lección B

1 Complete las siguientes oraciones con la palabra o expresión apropiada de la lista.

vale la pena	evita	natación	haces flexiones
hicieras un esfuerzo	hace yoga	energía	mantenerme en forma
hacer bicicleta	fuerza	estirar	calambre

1. Si tú ____________, podrías levantar esa pesa tan grande.
2. ¿Qué puedo hacer para ____________?
3. Para evitar el estrés, Lorenzo ____________.
4. Si te gusta el agua, puedes hacer ____________.
5. Para levantar pesas grandes, hay que tener mucha ____________.
6. Si haces mucho ejercicio, tendrás más ____________.
7. ____________ mantenerse en forma.
8. Antes de hacer ejercicio, tienes que ____________ los músculos del cuerpo.
9. ¡Ay, me dio un ____________ en la pierna!
10. Para mantenerse en forma, Elisa ____________ los dulces.
11. ____________ es un buen ejercicio para las piernas.
12. Si tú ____________, tendrás brazos muy fuertes.

Nombre: ______________________________ Fecha: ______________

2 **Escriba oraciones, usando la estructura *si* + subjuntivo y la información que se da. Siga el modelo.**

MODELO si / tú / ir al gimnasio / estar más en forma
Si tú fueras al gimnasio, estarías más en forma.

1. si / Uds. /estirarse antes de hacer ejercicio / no tener calambres

____

2. tú / poder levantar pesas grandes / si / tener más fuerza

____

3. nosotros / jugar mejor / si / ir a todos los entrenamientos

____

4. si / ellos / hacer un esfuerzo / poder hacer cien abdominales

____

5. yo / sentirme mejor / si / comer más verduras

____

6. Uds. / correr más millas / si / hacer cinta en el gimnasio

____

7. si / Clara / saber nadar / hacer natación

____

8. yo / no ir tanto al dentista / si / evitar los dulces

____

9. Víctor / estar más fuerte / si / levantar pesas

____

Nombre: ______________________________ Fecha: ______________

3 **Empareje las descripciones de la izquierda con la palabra o expresión correspondiente de la derecha.**

1. _____ Los cereales y las verduras la tienen.
2. _____ Las espinacas lo tienen.
3. _____ Una conducta creada por la repetición.
4. _____ Los alimentos que no son saludables.
5. _____ La leche y el queso lo tienen.
6. _____ Están en la carne y el pescado.
7. _____ Que es bueno para la salud.
8. _____ Que tiene mucho alimento.
9. _____ La comida chatarra la tiene.
10. _____ Las frutas las tienen.
11. _____ La pasta y el pan los tienen.
12. _____ No comer una comida.
13. _____ Que tiene de todo un poco.

A. las proteínas
B. el calcio
C. la grasa
D. el hierro
E. las vitaminas
F. saludable
G. el hábito
H. la fibra
I. nutritivo
J. la comida chatarra
K. equilibrada
L. los carbohidratos
M. saltar (una comida)

Nombre: ______________________________ Fecha: ______________

4 Marque la letra de la respuesta que mejor completa cada oración.

1. Los Juegos Deportivos Estudiantiles se celebraron en Honduras...
   A. desde principios de siglo. B. por primera vez en 2003.
2. A estos juegos van..
   A. estudiantes de todo el país. B. estudiantes de la capital.
3. El trigo y la cebada llegaron a Honduras…
   A. después de la colonización española. B. antes de la colonización.
4. Hoy el plato típico de Honduras tiene…
   A. alimentos muy elaborados. B. alimentos simples.
5. Los "tiempos de comida" en Honduras son…
   A. las tres comidas principales del día. B. las comidas de los días de fiesta.

5 Complete cada oración con la preposición apropiada de la lista.

antes de	sin	por	después de	al	de
para	de	para	sin	hasta	

1. Gracias ______________ darme buenos consejos.
2. Voy a ir a la tienda ______________ comprar vitaminas.
3. Me tropecé ______________ subir las escaleras.
4. Estamos cansados ______________ comprar comida chatarra.
5. ¿Estás lista ______________ salir?
6. Ella va a seguir trabajando ______________ terminar la tarea.
7. Julián está harto ______________ comer verduras.
8. ¡No salgas ______________ hacer la cama!
9. ______________ hacer ejercicio, es bueno estirarse.
10. No es saludable quedarse muchas horas ______________ comer.
11. ______________ ir de compras, haz una lista de lo que necesitas.

Nombre: ______________________________ Fecha: ________________

Capítulo 9

Lección A

1 **Empareje la situación de la izquierda con la expresión correspondiente de la derecha.**

1. ______ Una señora va a una boda y necesita un peinado especial.
2. ______ Un chico no quiere tener pelo.
3. ______ Una chica tiene el pelo rizado pero le gusta liso.
4. ______ No sabe qué estilo llevar.
5. ______ Una chica se quita la cola.
6. ______ Quiero cambiar de color de pelo.
7. ______ Una señora no quiere el pelo ni corto ni largo.
8. ______ Un chico tiene el pelo muy seco.
9. ______ Una niña quiere tener pelo sobre los ojos.
10. ______ Una señora quiere el pelo ondulado.

A. Me gusta más llevar el pelo suelto.
B. Tienes que usar acondicionador.
C. Quiero un peinado de pelo recogido, por favor.
D. Voy a teñirme el pelo.
E. ¿Le puedo sugerir un peinado?
F. ¡Quiero el pelo mediano!
G. ¿Me puede rapar el pelo?
H. Voy a alisarme el pelo.
I. Le recomiendo una permanente.
J. ¿Puede hacerme flequillo?

Nombre: ______________________________ Fecha: ____________

2 **Complete las siguientes oraciones con la forma apropiada del presente perfecto del subjuntivo de los verbos entre paréntesis. Siga el modelo.**

MODELO ¡No es posible que tú te hayas teñido el pelo de azul! (teñirse)

1. ¡No puedo creer que ellos ____________ el pelo! (raparse)
2. Antes de ir al cine es necesario que nosotros ____________ la tarea. (acabar)
3. Dudo que tú ____________ al salón de belleza. (ir)
4. Ojalá que Lucía no ____________ un peinado sin gracia. (hacerse)
5. Para el lunes es mejor que Uds. ____________ de estilo. (cambiar)
6. Espero que para esta tarde él ____________ la tarea. (terminar)
7. Es posible que para el viernes mis padres me ____________ el dinero. (dar)
8. ¡No es posible que mi madre ____________ el pelo! (alisarse)

3 **Escoja la forma apropiada del pluscuamperfecto del subjuntivo para completar las siguientes oraciones. Siga el modelo.**

MODELO ¡Si me hubiera alisado el pelo! (hubiera alisado / hubiéramos alisado)

1. Esperaba que Uds. ____________ de estilo.
   (hubiera cambiado / hubieran cambiado)
2. Yo ____________ al salón de belleza, pero llovió todo el día.
   (hubiera ido / hubieras ido)
3. Ella ____________ el vestido, pero estaba sucio.
   (se hubieran puesto / se hubiera puesto)
4. No creí que ellos ____________ el pelo.
   (se hubieran teñido / se hubiera teñido)
5. Si yo me ____________ el pelo, ahora lo tendría limpio.
   (hubiéramos lavado / hubiera lavado)
6. Ojalá tú ____________ con nosotros de viaje.
   (hubiera venido / hubieras venido)

Nombre: ______________________ Fecha: ______________

4 **Complete las siguientes oraciones con *cualquier* o *cualquiera.***

1. Margarita no es una peluquera ______________.
2. ______________ día iré de viaje a Europa.
3. No puedes usar un acondicionador ______________.
4. En ______________ salón de belleza te pueden alisar el pelo.
5. ¿Puedo usar ______________ gel?
6. En ______________ momento llegará Emilio.

5 **Escriba la palabra o expresión de la lista que corresponde a cada ilustración.**

etiqueta	vaqueros	de lunares	estampado
calzado	conjunto	en rebajas	sudadera

1. ______________ 
2. ______________ 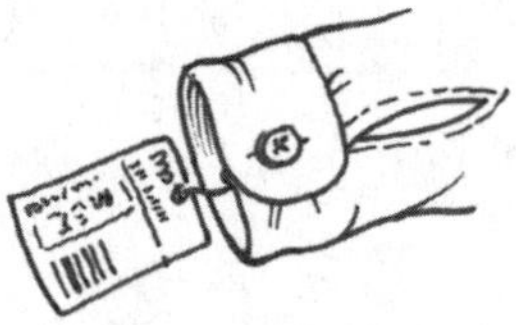
3. ______________ 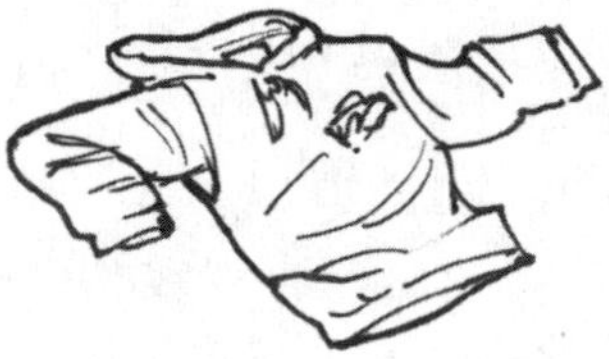
4. ______________

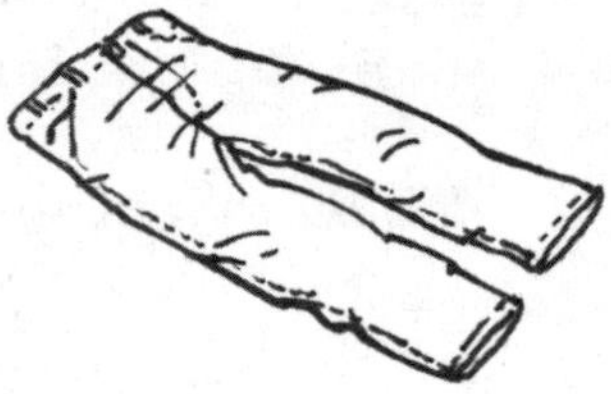

5. ______________ 
6. ______________ 
7. ______________ 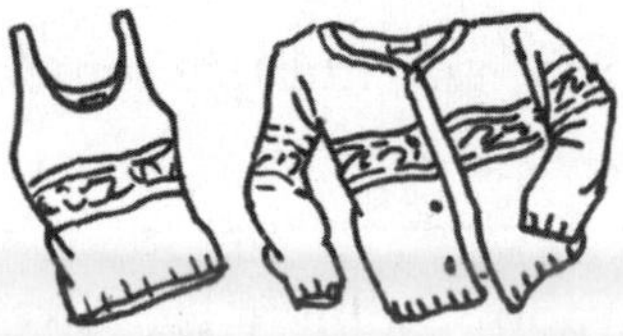
8. ______________

Nombre: ____________________________ Fecha: ______________

6 Diga si las siguientes oraciones son ciertas (C) o falsas (F).

1. C F Todos los vestidos aztecas eran iguales.
2. C F El azul turquesa sólo podía llevarlo el emperador azteca.
3. C F Los tianguis son mercados al aire libre de Venezuela.
4. C F Los tianguis vienen de la tradición azteca.

7 Complete las siguientes oraciones con el adjetivo apropiado del paréntesis.

1. El mar es azul ____________________. (beige / marino)
2. Esta rosa es de color rosa ____________________. (pálido / marino)
3. La arena de la playa es ____________________. (beige / morada)
4. Mis tenis son ____________________. (morados / vivo)
5. El fuego es de color rojo ____________________. (pálido / vivo)
6. La hierba es de color verde ____________________. (claro / miel)
7. Los árboles de Navidad son verde____________________. (oscuro / beige)
8. Mi amiga tiene el pelo de color ____________________. (castaño / morado)

Nombre: ______________________________ Fecha: ____________________

Lección B

1 Complete las siguientes oraciones con la palabra o expresión apropiada de la lista.

mancha	cuello	mangas	hilo	alfileres
máquina de coser	tijeras	sastre	bolsillo	botones

1. La persona que arregla trajes es el ______________________.
2. Para coser necesito ______________________ y aguja.
3. ¿Me prestas tu ______________________ para hacerme unas cortinas?
4. Quiero unas ______________________ para cortar el vestido.
5. Marcaré las medidas con ______________________.
6. ¿Puede sacar la ______________________ de este vestido?
7. Las ______________________ me quedan un poco cortas.
8. Guardé unas monedas en el ______________________.
9. Esta chaqueta tiene ______________________ de plata.
10. Cuidado, llevas el ______________________ de la camisa arrugado.

2 Escriba oraciones, usando el subjuntivo y la información que se da. Siga el modelo.

MODELO aunque llover / yo ir a la fiesta
Aunque llueva yo voy a la fiesta.

1. tú / llevar el traje al sastre / a fin de que / él arreglarlo

____

2. yo / comprar el conjunto / sin que / ella saberlo

____

3. Ud. / lavar el vestido a mano / para que / no encogerse

____

4. nosotros / no ir a la fiesta /a menos que / tú ir también

____

Nombre: ______________________________ Fecha: ______________

3 **Empareje las descripciones de la izquierda con la palabra o expresión apropiada de la derecha.**

1. _____ Se ponen en las mangas de las camisas.
2. _____ Sirve para poner las llaves.
3. _____ Se usa para poner cartas dentro.
4. _____ Se pone en el sobre para enviar una carta.
5. _____ Se dice cuando algo no merece su precio.
6. _____ Se usa para poner flores.
7. _____ Se pone en el cuello.
8. _____ Generalmente, se pone en una cadena.
9. _____ Sirve para guardar joyas.
10. _____ Se ponen fotos en él.
11. _____ Se pone para adornar la solapa.
12. _____ Se usa para escribir una carta.
13. _____ Tienda donde venden joyas.
14. _____ Sirve para llevar vasos y platos.

A. el sobre
B. ¡Qué estafa!
C. el jarrón
D. el marco de fotos
E. el joyero
F. los gemelos
G. la medalla
H. la estampilla
I. la cadena
J. el llavero
K. la bandeja
L. el papel de carta
M. el broche
N. la joyería

Nombre: ______________________________ Fecha: ________________

4 **Diga si las siguientes oraciones son ciertas (C) o falsas (F).**

1. C F Macario es un famoso diseñador mexicano.
2. C F Macario estudió en París, Francia.
3. C F Los diseños de Macario son para hombres de veinte a cuarenta años.
4. C F Dos revistas populares para jóvenes en México son *Tú* y *Eres*.
5. C F En las revistas para jóvenes mexicanos a veces hay entrevistas con gente famosa.
6. C F En México llaman a los chicos y chicas "chavos y chavas".

5 **Escoja la frase que mejor completa cada oración.**

1. Es divertido…
   A. ir de compras. B. saliendo a comprar.
2. En vez de… en casa, ¿vamos a pasear?
   A. quedamos B. quedarnos
3. Comparo los precios antes de…
   A. escojo un regalo. B. escoger un regalo.
4. Es importante… que vamos a salir.
   A. decirle a tu madre B. digo a tu madre
5. Me puse la chaqueta antes de…
   A. saliendo a la calle. B. salir a la calle.
6. No vayas a la escuela sin…
   A. llevar los libros. B. llevando los libros.
7. Ver es…
   A. creer. B. creído.
8. Llegué tarde por…
   A. hablar tanto rato por teléfono. B. hablando tanto rato por teléfono.

Nombre: ______________________________ Fecha: ______________

6 **Complete las siguientes oraciones con el gerundio o el participio pasado de los verbos entre paréntesis, según corresponda.**

1. ____________________ con el sastre aprendí a coser. (trabajar)
2. Este jarrón está ____________________ de cerámica. (hacer)
3. Hemos ____________________ muchas artesanías. (comprar)
4. Ayer por la mañana estuvimos ____________________ por un tiangui. (pasear)
5. Va ____________________ para llegar antes. (correr)
6. ¿Uds. han ____________________ a su familia mexicana? (visitar)
7. Mi hermano me esperaba ____________________ en la escalera. (sentarse)
8. Yo estoy ____________________ una carta. (escribir)

Nombre: ______________________ Fecha: ______________

Capítulo 10

Lección A

1 Empareje cada ilustración con la palabra o expresión correspondiente.

A. 

B. 

C. 

D. 

E. 

F. 

G. 

H. 

I. 

J. 

1. ______ la informática
2. ______ la juez
3. ______ el arquitecto
4. ______ trabajar en equipo
5. ______ el sueldo
6. ______ el escritor
7. ______ la empresaria
8. ______ la agente de viajes
9. ______ el camarógrafo
10. ______ la locutora

Nombre: ______________________________ Fecha: ____________________

2 **Complete las siguientes oraciones con la forma apropiada del presente del indicativo o del subjuntivo, o del mandato de los verbos entre paréntesis, según corresponda. Siga el modelo.**

MODELO Limpien Uds. la clase. (limpiar)

1. ¡____________________ Uds. los basureros de la clase, por favor! (vaciar)
2. Nosotros ____________________ todos los días de nuestro viaje. (esquiar)
3. Dudo que tú ____________________ en tu amigo. (confiar)
4. Mi madre ____________________ papas para la cena. (freír)
5. Espero que él ____________________ este año. (graduarse)
6. La chica ____________________ a los viajeros por el parque nacional. (guiar)
7. Ellos ____________________ todos los animales que ven. (fotografiar)
8. ____________________ Uds. mucho antes del examen. (estudiar)
9. Mis padres esperan que yo ____________________ mis estudios en la universidad. (continuar)
10. Ellas ____________________ la ciudad en el mapa del país. (situar)

Nombre: ______________________ Fecha: ______________

3 **Empareje la descripción de la izquierda con la palabra o expresión correspondiente de la derecha.**

1. _____	Una recomendación de otra persona o trabajo.	A.	solicitar
2. _____	Escribir en un formulario.	B.	los requisitos
3. _____	Pedir.	C.	el trabajo manual
4. _____	Una persona que sabe hacer cosas por su cuenta.	D.	el formulario
5. _____	Lo que piden para un puesto.	E.	la referencia
6. _____	Dar un puesto de trabajo a alguien.	F.	rellenar
7. _____	Trabajo que se hace con las manos.	G.	emprendedor(a)
8. _____	Terminar los estudios en la universidad.	H.	contratar
9. _____	El trabajo o la carrera de una persona.	I.	graduarse
10. _____	Un papel en el que hay que escribir información.	J.	la profesión

Nombre: ______________________________ Fecha: ____________________

4 **Diga si las siguientes oraciones son ciertas (C) o falsas (F).**

C F 1. Las primeras universidades nacieron en América.

C F 2. En la Península Ibérica, la primera universidad fue la de Palencia.

C F 3. Las universidades nacieron como un grupo de gente que practicaba el mismo oficio.

C F 4. Los primeros estudios fueron de matemáticas.

C F 5. Muchos reyes y emperadores apoyaban las universidades.

C F 6. Un currículum español es igual que uno de Estados Unidos.

C F 7. En latín, *currículum vítae* quiere decir "carrera de vida".

C F 8. En España, debe incluir su fecha de nacimiento en el currículum.

C F 9. A veces, en España piden una foto suya y de sus padres para el currículum.

C F 10. Un currículum español debe incluir el estado civil.

5 **Complete las siguientes oraciones con el indicativo o el subjuntivo de los verbos entre paréntesis, según corresponda.**

1. No creo que ellos ____________________ la tarea a tiempo. (terminar)
2. Estoy seguro de que yo ____________________ el trabajo para el lunes. (acabar)
3. Te sugiero que ____________________ repelente de insectos en tu visita al parque. (llevar)
4. Buscamos un cocinero que ____________________ hacer buenos postres. (saber)
5. Es cierto que Blanca ____________________ muy buena estudiante. (ser)
6. Cuando yo ____________________ dinero, siempre me compro ropa. (tener)
7. Marga me dijo que Jorge ____________________ el trabajo. (aceptar)
8. Compraremos una nueva computadora cuando nosotros ____________________ dinero. (tener)
9. No es verdad que Ramiro ____________________ ocho horas diarias. (estudiar)
10. Es posible que Uds. ____________________ noticias suyas muy pronto. (recibir)

Nombre: ______________________ Fecha: ______________

Lección B

1 Complete las siguientes oraciones con la palabra o expresión apropiada entre paréntesis.

1. Las noticias del día salen en los ______________________.
   (medios de comunicación / microscopios)
2. Hoy en día ya hay muchos juegos de ______________________.
   (realidad virtual / genética)
3. Quiero una computadora con ______________________.
   (realidad virtual / pantalla de alta definición)
4. Es difícil ______________________ el futuro. (fabricar / predecir)
5. Soy ______________________ y pienso que todo saldrá bien.
   (pesimista / optimista)
6. La genética estudia los ______________________. (genes / inventos)
7. En el futuro habrá muchos ______________________ tecnológicos.
   (satélites / avances)
8. Un astronauta español vivió en la ______________________.
   (estación espacial / realidad virtual)
9. Mi hermano quiere ser ______________________ y viajar al espacio.
   (científico / astronauta)
10. Los científicos van a ______________________ nuevos inventos.
    (comunicar / desarrollar)

2 Complete las siguientes oraciones con la forma apropiada del imperfecto del subjuntivo de los verbos entre paréntesis. Siga el modelo.

MODELO Quería que tú <u>vinieras</u> de viaje con nosotros. (venir)

1. Me gustaría que Uds. ______________ más. (estudiar)
2. Mi hermana habla como si ella lo ______________ todo. (saber)
3. Si ellos me ______________, yo iría a la fiesta. (invitar)
4. Quisiera que nosotros ______________ un juego de realidad virtual. (tener)
5. Mis abuelos y yo queríamos que Juana ______________ a visitarnos. (venir)
6. Me lo pasaría muy bien si yo ______________ en la estación espacial. (vivir)

Nombre: ______________________________ Fecha: ____________________

3 **Empareje cada ilustración con la palabra o expresión apropiada.**

A. 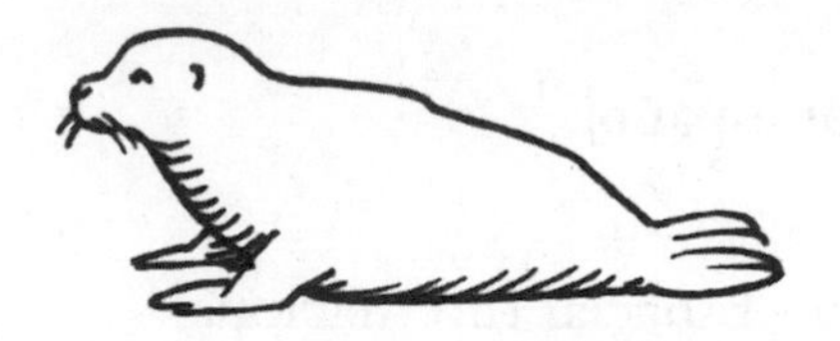

F. 

B. 

G. 

C. 

H. 

D. 

I. 

E. 

J. 

_____ 1. el águila calva

_____ 2. reciclar

_____ 3. la energía solar

_____ 4. la foca

_____ 5. la ballena

_____ 6. la fábrica

_____ 7. el vidrio

_____ 8. el aerosol

_____ 9. el recurso natural

_____ 10. el derrame de petróleo

Nombre: ______________________ Fecha: ______________

4 **Marque la letra de la respuesta que mejor completa cada oración.**

1. Pedro Duque es...
   A. un astronauta español. B. un inventor español.
2. Duque viajó...
   A. al planeta Marte. B. a la Estación Espacial Internacional.
3. Lo que menos le gustó a Pedro Duque de su viaje al espacio fue...
   A. las vistas del planeta. B. la comida.
4. En diciembre de 2002, en las costas de Galicia, hubo...
   A. un derrame de petróleo. B. un accidente de avión.
5. Muchos jóvenes voluntarios...
   A. se fueron de vacaciones. B. fueron a ayudar a limpiar las playas.
6. A Galicia llegaron voluntarios...
   A. de toda Europa. B. de los pueblos cercanos.

5 **Escriba oraciones con el presente del subjuntivo y la información que se da. Siga el modelo.**

MODELO es importante / nosotros / cuidar el planeta
Es importante que nosotros cuidemos el planeta.

1. es imposible / haber / recursos naturales para siempre

   ____

2. no creo / nosotros / ver un águila calva en el viaje

   ____

3. quiero / tú / ayudar a reciclar

   ____

4. les sugiero / Uds. / ser más optimistas

   ____

5. dudo / tu hermano / tener un juego de realidad virtual

   ____

6. espero / mis amigos / evitar el uso de aerosoles

   ____

Nombre: ______________________________ Fecha: ______________

6 **Complete las siguientes oraciones con la forma apropiada del presente del subjuntivo de los verbos entre paréntesis.**

1. Prefiero que tú ____________ energía solar. (usar)
2. A mis padres les encanta que yo ____________ el medio ambiente. (cuidar)
3. Me molesta que ____________ tantos derrames de petróleo. (haber)
4. Dudo que los científicos ____________ tantos inventos para el año próximo. (fabricar)
5. Ojalá que mi hermano ____________ este año. (graduarse)
6. Es importante que todos ____________ en un mundo mejor. (vivir)

7 **Escriba oraciones con el subjuntivo y la información que se da. Siga el modelo.**

MODELO yo / buscar una persona / saber arreglar computadoras
Busco una persona que sepa arreglar computadoras.

1. tú / ir a la fiesta / aunque / ellos / no invitarte

 ____

2. Uds. / llevar lo que / Uds. / querer

 ____

3. cuando nosotros terminar / nosotros llamar

 ____

4. nosotros / deber conservar los recursos naturales / antes de que / agotarse

 ____

5. yo / no encontrar libros / hablar de energía solar

 ____

6. ellos / necesitar / una persona / querer trabajar en el centro de reciclaje

 ____

Answer Key

Capítulo 1

Lección A

1 **Empareje la definición de la izquierda con la palabra correspondiente de la derecha. (8 puntos)**

1. E 2. D 3. B 4. F 5. H 6. A 7. G 8. C

2 **Complete las siguientes oraciones con el presente del verbo apropiado de la lista. (8 puntos)**

1. desapareces 2. conozco 3. establecen 4. obedezco 5. traduzco
6. merece 7. pertenecen 8. convencemos

3 **Complete las siguientes oraciones con la forma apropiada del presente del verbo entre paréntesis. (8 puntos)**

1. juegan 2. duermes 3. repite 4. pongo 5. quieren 6. oye
7. Preparamos 8. vuelven

4 **Complete las siguientes descripciones con el adjetivo apropiado de la lista. (5 puntos)**

1. organizada 2. vago 3. responsables 4. trabajador 5. estricta

5 **Marque la letra de la respuesta que mejor completa cada oración. (6 puntos)**

1. A 2. B 3. A 4. B 5. A 6. A

6 **Complete las siguientes oraciones con la forma apropiada de *ser* o *estar*. (15 puntos)**

1. es 2. están 3. está 4. estamos 5. es 6. está 7. soy 8. es
9. son 10. está 11. es 12. son 13. estás 14. están 15. somos

Lección B

1 **Lea las siguientes descripciones y escriba a qué trabajo u oficio corresponden. (8 puntos)**

1. entrenador(a) 2. instructor(a) 3. futbolista 4. músico 5. niñero/a
6. repartidor(a) 7. tenista 8. mecánico/a

2 **Complete las siguientes oraciones con *qué*, *cuál* o *cuáles*. (8 puntos)**

1. Cuáles 2. Qué 3. Qué 4. cuál 5. Qué 6. Cuáles 7. Cuál 8. Qué

3 **Escriba oraciones con el verbo *ser* y la información que se da. (8 puntos)**

1. Tus dos hermanos son músicos conocidos. 2. Yo soy un buen estudiante. 3. Amalia es artista. 4. Juan y Carmen son maestros. 5. Simón es un futbolista muy famoso. 6. Rosa es una cantante muy talentosa. 7. Tú eres niñera. 8. Uds. son repartidores.

4 **Complete las siguientes oraciones con la palabra apropiada de la lista. (6 puntos)**

1. subtítulos 2. guión 3. efectos 4. documental 5. terror 6. actuación

5 **Conteste las siguientes preguntas sobre el béisbol venezolano y las telenovelas. (6 puntos)**

1. Tiene más de cien años (un siglo) de historia. 2. **Possible answers:** Carlos Zambrano, Ozzie Guillén, Luis Aparicio, Andrés Galarraga, Omar Vizquel, Edgardo Alfonso, Freddy García, Magglio Ordóñez. 3. La industria de las telenovelas. 4. Están en Cuba. 5. Las ve público de Estados Unidos, Europa y América Latina.

6 **Escriba oraciones con el verbo *gustar* y la información que se da. (6 puntos)**

1. A ti te gustan las películas románticas. 2. A tus amigos les gustan las películas policiacas. 3. A mi hermanito pequeño le gustan las películas de dibujos animados. 4. A mí me gusta actuar en el teatro de la escuela. 5. A Uds. les gusta ver películas dobladas. 6. A tu abuela le gustan las películas musicales.

7 **Complete las siguientes oraciones con el presente de los verbos entre paréntesis. (8 puntos)**

1. me molesta 2. te interesan 3. les fascinan 4. les importa 5. le parecen 6. le encanta 7. nos molesta 8. les encantan

Capítulo 2

Lección A

1 **Empareje la definición de la izquierda con la palabra correspondiente de la derecha. (10 puntos)**

1. E 2. G 3. J 4. B 5. H 6. I 7. D 8. A 9. F 10. C

2 **Complete las siguientes oraciones con la palabra apropiada de la lista. (10 puntos)**

1. alguien 2. nadie 3. alguna 4. ninguna 5. algún 6. unos cuantos 7. Ningún 8. ni 9. nunca 10. Algunas

3 **Escriba el nombre de lo que representa cada ilustración. (6 puntos)**

1. la terraza 2. el martillo 3. el detector de humo 4. el destornillador
5. el suelo 6. el basurero

4 **Conteste las siguientes preguntas. (10 puntos)**

1. El *Spanglish* es una mezcla del español con el inglés.
2. Lo hablan muchos hispanos que viven en Estados Unidos.
3. En Nueva York, Miami y Los Ángeles.
4. **Possible answers:** cuora *(quarter)*, llamar para atrás *(call back)*, tiquete *(ticket)*, boila *(boiler)*, carpeta *(carpet)*, Loisaida *(Lower East Side)*, Sagüesera *(South West)*, Te veo *(See you)*, ¿Tú sabes? *(You know?)*
5. Se celebra cada año en primavera.
6. **Possible answers:** La Batalla de las Flores, el Desfile del Río, la Fiesta del Mercado

5 **Conteste las preguntas, usando el presente progresivo y la información entre paréntesis. (6 puntos)**

1. Está regando el jardín. 2. Están conectando el estéreo. 3. Está clavando un clavo.
4. Estoy desarmando el cortacésped. 5. Están decorando el pasillo.
6. Estás haciendo muchas preguntas.

6 **Escriba generalizaciones, usando la información que se da y el *se* impersonal. (8 puntos)**

1. En esa tienda se venden destornilladores. 2. Todos los domingos se riegan las plantas.
3. En el centro cultural se habla español. 4. Se busca jardinero para decorar el jardín.
5. En la cocina se prepara la comida. 6. Los días de fiesta se duerme hasta tarde.
7. Se necesita carpintero para construir estantes. 8. No se permite hacer ruido.

Lección B

1 **Complete las siguientes oraciones, escogiendo la palabra o expresión apropiada entre paréntesis. (8 puntos)**

1. el esmalte 2. se seca 3. numerosa 4. furioso 5. paciente 6. desorden
7. e enoja 8. toca

2 **Complete las siguientes oraciones con la construcción reflexiva apropiada de los verbos entre paréntesis. (6 puntos)**

1. me levanto 2. se viste 3. nos secamos 4. se pintan 5. te preparas
6. se ponen

3 **Escriba oraciones describiendo qué hacen las siguientes personas, usando la construcción reflexiva de los verbos de la lista. Siga el modelo. (6 puntos)**

1. Los niños se ríen. 2. Tú te levantas. 3. Nosotros nos aburrimos.
4. Yo me duermo. 5. Ella se divierte. 6. Uds. se van.

4 **Escriba oraciones con la forma recíproca de los verbos. Siga el modelo. (8 puntos)**

1. Uds. se conocen. 2. Alberto y su hermano se pelean. 3. Nosotros nos saludamos.
4. Ana y su novio se escriben. 5. Juan y Luisa se quieren. 6. Tú y yo nos llevamos bien. 7. Ellos se dan la mano. 8. Los amigos se ayudan.

5 **Empareje la descripción de la izquierda con la palabra o expresión apropiada de la derecha. (8 puntos)**

1. D 2. F 3. H 4. A 5. E 6. G 7. B 8. C

6 **Diga si las siguientes oraciones son ciertas (C) o falsas (F). (6 puntos)**

1. F 2. C 3. F 4. F 5. C 6. C

7 **Escriba mandatos diciéndole a su amigo/a cómo ayudarlo/a a ordenar su cuarto. Use la información que se da. (8 puntos)**

1. Cuelga la ropa en las perchas. 2. Haz la cama. 3. Pon los libros en el estante.
4. Guarda las sábanas en la cómoda. 5. Saca la basura a la calle.
6. Lleva estos platos a la cocina. 7. Busca más perchas en la otra habitación.
8. Limpia las ventanas.

Capítulo 3

Lección A

1 **Empareje la información de la izquierda con la sección del periódico donde suele aparece. (8 puntos)**

1. G 2. F 3. H 4. A 5. D 6. B 7. C 8. E

2 **Complete las siguientes oraciones con el pretérito de los verbos entre paréntesis. (8 puntos)**

1. se sintieron 2. durmió 3. dieron 4. Fuiste 5. nos divertimos
6. murió 7. prefirió 8. consiguieron

3 **Escriba las siguientes oraciones en el pretérito. (9 puntos)**

1. Susana leyó la sección de finanzas. 2. Víctor y Ana contribuyeron a organizar la fiesta. 3. Yo oí las noticias por la radio. 4. ¿Qué dijeron las noticias? 5. Enrique vino a mi casa. 6. Nosotros supimos dónde vive Álvaro. 7. Uds. trajeron regalos para Tina. 8. Los padrinos sirvieron comida para los invitados. 9. Tú condujiste un coche.

4 **Complete las siguientes oraciones con la palabra apropiada de la lista. (8 puntos)**

1. cámara digital 2. ceremonia 3. estreno 4. reportaje 5. ordenador 6. entrevistar 7. reportero 8. sesión fotográfica

5 **Conteste las siguientes preguntas. (7 puntos)**

1. Es un suplemento para jóvenes del periódico *El Mundo.* 2. **Possible answers:** temas didácticos, deportivos, de solidaridad, científicos, culturales. 3. Está en el norte de España. 4. Se llama La Concha. 5. Se celebra el Festival Internacional de Cine de San Sebastián.

6 **Complete las siguientes oraciones con la forma correcta del imperfecto de los verbos entre paréntesis. (10 puntos)**

1. gustaba 2. hablábamos 3. era 4. iban 5. vivías 6. jugaba 7. trabajaba 8. veía 9. tenía 10. Había

Lección B

1 **Empareje cada ilustración con la palabra apropiada. (8 puntos)**

1. D 2. H 3. F 4. E 5. B 6. A 7. C 8. G

2 **Complete las siguientes oraciones con el pretérito o el imperfecto de los verbos entre paréntesis, según corresponda. (8 puntos)**

1. me levantaba 2. fue 3. viste 4. gustaba 5. hubo 6. te preparabas 7. oímos 8. había

3 **Complete las oraciones con el pretérito o el imperfecto de uno de los verbos de la lista. (6 puntos)**

1. conocí 2. pudiste 3. podía 4. quisieron 5. quería 6. conocía

4 **Escriba las palabras que corresponden a las siguientes descripciones. (6 puntos)**

1. ambulancia 2. testigo 3. paramédico 4. conductor 5. víctima 6. chocar

5 **Diga si las siguientes oraciones son ciertas (C) o falsas (F). (10 puntos)**

1. F 2. C 3. C 4. C 5. C 6. F 7. F 8. F 9. C 10. C

6 **Complete las siguientes oraciones con la forma apropiada del pluscuamperfecto de los verbos entre paréntesis. (6 puntos)**

1. habían rescatado 2. habían resuelto 3. habías hecho 4. había ido 5. habían escapado 6. me había desmayado

7 **Escoja la expresión apropiada de la lista para completar cada oración. (6 puntos)**

1. con quienes 2. La que 3. el que 4. que 5. a quien 6. en que

Capítulo 4

Lección A

1 **Complete las siguientes oraciones con la palabra o expresión apropiada de la lista. (10 puntos)**

1. honesto 2. hacer un cumplido 3. se reconciliaron 4. entrometida 5. confío 6. contar con 7. tienen en común 8. celoso 9. increíble 10. perdonar

2 **Conteste las siguientes preguntas, usando pronombres de objeto directo e indirecto y la información que se da. (5 puntos)**

1. Sí, se lo dí. 2. No, no se lo expliqué. 3. Sí, me lo compré. 4. No, no se las enseñé. 5. Sí, te lo devolví.

3 **Empareje cada ilustración con la palabra o expresión apropiada. (8 puntos)**

1. E 2. A 3. G 4. D 5. H 6. B 7. F 8. C

4 **Diga si las siguientes oraciones son ciertas (C) o falsas (F). (7 puntos)**

1. F 2. C 3. C 4. C 5. F 6. C 7. C

5 **Escriba oraciones, usando el pretérito perfecto y la información que se da. (10 puntos)**

1. Mis padres han hecho un viaje a la República Dominicana. 2. Verónica ha abierto las ventanas. 3. Uds. han escrito correos electrónicos a sus amigos. 4. Yo he discutido con mi mejor amigo. 5. Raúl me ha contado un secreto. 6. Federico y yo hemos dicho la verdad. 7. Tú le has devuelto el libro a la maestra. 8. Mis amigos han visto todas las películas de Fermín Castellanos. 9. Tú y yo la hemos pasado bien en el cine. 10. Germán ha roto con su novia

6 **Marque la letra del significado correcto para cada oración. (10 puntos)**

1. A 2. B 3. A 4. A 5. B 6. A 7. A 8. A 9. B 10. A

Lección B

1 Complete las siguientes oraciones con la palabra o expresión apropiada de la lista. (12 puntos)

1. diferencia de opinión 2. hago caso 3. levantes la voz 4. hicimos las paces
5. respetar 6. tal como 7. comportamiento 8. critican 9. reaccionó
10. relación 11. conflicto 12. adulto

2 Escriba los siguientes mandatos como mandatos negativos informales. (6 puntos)

1. No hagas caso de lo que te digo. 2. No seas aburrido.
3. No me des muchos consejos. 4. No levantes la voz.
5. No critiques a todo el mundo. 6. No me aceptes tal como soy.

3 Complete el siguiente diálogo con la preposición *a* cuando sea necesario. (8 puntos)

1. – 2. a 3. a 4. a 5. – 6. a 7. a 8. a

4 Empareje cada ilustración con la palabra o expresión apropiada. (8 puntos)

1. C 2. E 3. B 4. F 5. D 6. H 7. G 8. A

5 Marque la letra de la respuesta que mejor completa cada oración. (6 puntos)

1. A 2. A 3. B 4. A 5. B 6. B

6 Complete las oraciones con el pretérito imperfecto progresivo de los verbos entre paréntesis. (10 puntos)

1. estaba llamando 2. estaba empezando 3. estaban durmiendo
4. estabas consultando 5. estaban acabando 6. estaba escribiendo
7. estaba marcando 8. estábamos visitando 9. estaba estudiando
10. estaba sonando

Capítulo 5

Lección A

1 Empareje cada ilustración con la palabra o expresión apropiada. (10 puntos)

1. H 2. D 3. J 4. A 5. G 6. F 7. I 8. B 9. E 10. C

2 **Use la información para escribir mandatos con *Ud.* o *Uds.* (8 puntos)**

1. Pise el freno. 2. Salgan del estacionamiento. 3. No cruce en rojo.
4. Lean las normas. 5. Sea prudente. 6. Den la vuelta. 7. Vaya a la esquina.
8. Estén preparados.

3 **Escriba los mandatos de la actividad dos como mandatos con *nosotros.* (8 puntos)**

1. Pisemos el freno. 2. Salgamos del estacionamiento. 3. No crucemos en rojo.
4. Leamos las normas. 5. Seamos prudentes. 6. Demos la vuelta.
7. Vayamos a la esquina. 8. Estemos preparados.

4 **Complete las siguientes oraciones con la palabra o expresión apropiada de la lista. (10 puntos)**

1. atasco 2. autopista 3. zonas verdes 4. afueras 5. ponga una multa
6. llenar el tanque 7. kiosco 8. perdido 9. Dónde se encuentra
10. parquímetro

5 **Diga si las siguientes oraciones son ciertas (C) o falsas (F). (6 puntos)**

1. F 2. F 3. C 4. C 5. C 6. F

6 **Complete las oraciones con la forma apropiada del subjuntivo de los verbos entre paréntesis. (8 puntos)**

1. estacionemos 2. paren 3. llenes 4. suban 5. exceda 6. aprenda
7. sepa 8. traiga

Lección B

1 **Empareje cada definición de la izquierda con la palabra o expresión apropiada de la derecha. (12 puntos)**

1. E 2. B 3. I 4. D 5. J 6. F 7. C 8. G 9. H 10. A
11. L 12. K

2 **Complete las oraciones con la forma apropiada del subjuntivo de los verbos entre paréntesis. (10 puntos)**

1. sepas 2. vayamos 3. haya 4. dé 5. esté 6. estén 7. sepa
8. se vayan 9. compren 10. coma

3 **Escriba oraciones con el subjuntivo y la información que se da. (4 puntos)**

1. Es bueno que tú pienses en los viajeros. 2. Es una suerte que nosotros durmamos en el coche cama. 3. Es una lástima que ellos no vuelvan este año.
4. Es malo que ella pierda el tren.

4 **Escriba la palabra o expresión que corresponde a cada ilustración. (8 puntos)**

1. binoculares 2. saco de dormir 3. fósforos 4. tienda de acampar
5. casco 6. brújula 7. fogata 8. linterna

5 **Marque la letra de la respuesta que mejor completa cada oración. (4 puntos)**

1. B 2. A 3. B 4. A

6 **Complete las siguientes oraciones usando *por* o *para*, según corresponda. (6 puntos)**

1. por 2. para 3. por 4. para 5. para 6. por

7 **Complete las oraciones con la forma apropiada del subjuntivo de los verbos entre paréntesis. (6 puntos)**

1. uses 2. llevemos 3. compren 4. des 5. hagamos 6. pasen

Capítulo 6

Lección A

1 **Complete el diálogo con las palabras o expresiones apropiadas de la lista. (10 puntos)**

1. reserva 2. hasta que 3. sujeto a cambio 4. Tan pronto como 5. confirmar
6. descuentos 7. por adelantado 8. confirmación 9. cancelar 10.cheques de viajero

2 **Complete las siguientes oraciones con las formas apropiadas del subjuntivo de los verbos entre paréntesis. (12 puntos)**

1. tenga 2. paguen 3. lleguen 4. termines 5. salgas 6. vaya
7. haga 8. digan 9. des 10. esté 11. confirme 12. lleven

3 **Complete las siguientes oraciones con la palabra o expresión apropiada entre paréntesis. (10 puntos)**

1. retrasado 2. turbulencia 3. puerta de embarque 4. relajarte 5. hacer fila 6. se asustó 7. aguacero 8. negar 9. perder 10. tarjeta de embarque

4 **Diga si las siguientes oraciones son ciertas (C) o falsas (F). (8 puntos)**

1. C 2. F 3. F 4. C 5. F 6. F 7. C 8. C

5 **Escriba las siguientes oraciones en el futuro. (6 puntos)**

1. Esteban no vendrá a clase. 2. Nosotros no podremos embarcar. 3. Los aviones saldrán con retraso. 4. Tú tendrás planes para ir a Panamá. 5. Yo me pondré la chaqueta para salir. 6. Uds. viajarán mucho.

6 **Escriba oraciones con el subjuntivo y la información que se da. (4 puntos)**

1. Sonia duda que Juan pueda visitarla. 2. Dani y yo negamos que los boletos sean caros.
3. Uds. no están seguros de que haga buen tiempo durante el viaje.
4. Tú no crees que nosotros vayamos en avión.

Lección B

1 **Empareje cada ilustración con la palabra o expresión apropiada. (10 puntos)**

1. I 2. E 3. D 4. H 5. C 6. B 7. G 8. A 9. F 10. J

2 **Complete las oraciones con la forma apropiada del condicional del verbo entre paréntesis. (8 puntos)**

1. me quedaría 2. preferiría 3. pagaríamos 4. daría 5. viajarían
6. tendrían 7. querrían 8. saldrías

3 **Escriba oraciones con el condicional y la información que se da. (4 puntos)**

1. ¿Tendrían Uds. habitaciones disponibles? 2. ¿Podrías traerme un vaso de agua?
3. Serían las tres de la tarde cuando nosotros llegamos al albergue. 4. La conserje tendría unos treinta años.

4 **Escriba la palabra o expresión que corresponde con cada ilustración. (12 puntos)**

1. orquídea 2. cabalgata 3. balsa 4. jaguar 5. oso perezoso 6. quetzal
7. bucear 8. mariposa 9. navegar por rápidos 10. tucán 11. mar
12. naturaleza / parque nacional

5 **Marque la letra de la respuesta que mejor completa cada oración. (6 puntos)**

1. A 2. B 3. A 4. A 5. B 6. B

6 **Complete las oraciones con la forma apropiada del subjuntivo de los verbos entre paréntesis. (10 puntos)**

1. proteja 2. me pierda 3. sea 4. te levantes 5. sepa 6. pasemos
7. quieran 8. haya 9. podamos 10. se cansen

Capítulo 7

Lección A

1 **Mire la ilustración y escriba la palabra o expresión correspondiente en cada número. (10 puntos)**

1. puesto de fruta 2. puesto de verduras 3. puesto de condimentos 4. cerezas
5. damascos 6. ajíes 7. choclo 8. repollo 9. espinacas 10. perejil

2 **Complete las siguientes oraciones con las palabras comparativas de igualdad apropiadas. Siga el modelo. (6 puntos)**

1. tantas 2. tan 3. tan 4. tanto 5. tantos 6. tan

3 **Escriba oraciones usando el superlativo y la información que se da. Siga el modelo. (4 puntos)**

1. Estos ajíes son los más picantes del puesto. 2. Esos damascos son los peores de todos.
3. Mi hermano es el menor de la familia. 4. Este restaurante es el mejor de la ciudad.

4 **Complete las siguientes oraciones con la palabra o expresión apropiada entre paréntesis. (10 puntos)**

1. hervir 2. batidora 3. pedazos 4. yema 5. diente 6. Revuelve
7. recipiente 8.hornear 9. enfriar 10. pelar

5 **Escoja la letra de la opción que mejor completa cada oración. (4 puntos)**

1. A 2. B 3. A 4. A

6 **Escriba las siguientes oraciones en voz pasiva. (4 puntos)**

1. La mesa es puesta por mi madre. 2. El horno es abierto por Juan.
3. El ajo es picado por Serafina. 4. Las papas son peladas por ellos.

7 **Complete las siguientes oraciones con la forma *estar* + participio de los verbos entre paréntesis. (6 puntos)**

1. está abierto 2. está batida 3. están hervidos 4. está escrita 5. está hecho
6. están cocidas

8 **Complete las oraciones con la forma pasiva de *se* y la información que se da. Siga el modelo. (6 puntos)**

1. se sirve 2. se rompen 3. se hace 4. se habla 5. se hierven
6. se mezclan

Lección B

1 **Empareje las descripciones de la izquierda con la palabra correspondiente de la derecha. (10 puntos)**

1. J 2. F 3. A 4. D 5. I 6. B 7. C 8. E 9. H 10. G

2 **Complete las siguientes oraciones con la forma apropiada del imperfecto del subjuntivo de los verbos entre paréntesis. Siga el modelo. (6 puntos)**

1. fueras 2. trajeran 3. interrumpiera 4. bostezaran 5. nos encargáramos
6. fuera

3 **Empareje cada ilustración con la palabra o expresión apropiada. (10 puntos)**

1. F 2. E 3. D 4. H 5. C 6. B 7. J 8. G 9. I 10. A

4 **Diga si las siguientes oraciones son ciertas (C) o falsas (F). (8 puntos)**

1. F 2. C 3. F 4. F 5. C 6. F 7. C 8. F

5 **Complete las siguientes oraciones con la forma apropiada del presente del subjuntivo o del indicativo de los verbos entre paréntesis. (10 puntos)**

1. enseñe 2. es 3. tiene 4. lleve 5. conozca 6. guste 7. pueda
8. sabe 9. es 10. enseñe

6 **Escriba una respuesta para cada pregunta, usando la nominalización y la información que se da. Siga el modelo. (8 puntos)**

1. Es la que tiene especias peruanas. 2. Prefiero el que sea más dulce.
3. No, quiero el que está marinado. 4. El mejor es el que está cerca de mi casa.
5. El mejor fue el cordero asado. 6. Lo que tú pidas.

Capítulo 8

Lección A

1 Empareje cada ilustración con la palabra o expresión apropiada. (12 puntos)

1. J 2. E 3. B 4. H 5. D 6. C 7. G 8. A 9. I 10. F
11. L 12. K

2 Complete las primeras cinco oraciones con el futuro perfecto de los verbos entre paréntesis y las cinco oraciones siguientes con el condicional perfecto de los verbos entre paréntesis. (10 puntos)

1. habremos terminado 2. me habré olvidado 3. se habrá entrenado
4. habrá dejado 5. habrán examinado 6. habría preparado 7. habrías usado
8.habrían pintado 9. habrían sacado 10. habrían cambiado

3 Numere las siguientes oraciones para poner en orden el diálogo. (7 puntos)

A. 2 B. 3 C. 5 D. 1 E. 4 F. 6 G. 7

4 Diga si las siguientes oraciones son ciertas (C) o falsas (F). (11 puntos)

1. C 2. F 3. C 4. C 5. F 6. C 7. C 8. F 9. C 10. C 11. F

5 Escriba oraciones con *hace... que* o *hacía... que* y la información que se da. Siga el modelo. (10 puntos)

1. Hacía cinco años que yo no me sentía tan mal. 2. Hace cinco minutos que ella está estornudando. 3. Hace casi una semana que mis hermanos tienen la gripe.
4. Hace dos horas que a Ud. le duele la barriga. 5. Hacía tres semanas que el doctor no recetaba antibióticos. 6. Hace dos días que mi madre se quebró la pierna.
7. Hacía un año que tú no te desmayabas. 8. Hace una semana que yo me torcí el tobillo.
9. Hacía dos meses que no veíamos a tía Aurora. 10. Hace cinco minutos que hablé con el doctor.

Lección B

1 Complete las siguientes oraciones con la palabra o expresión apropiada de la lista. (12 puntos)

1. hicieras un esfuerzo 2. mantenerme en forma 3. hace yoga 4. natación
5. fuerza 6. energía 7. Vale la pena 8. estirar 9. calambre 10. evita
11. Hacer bicicleta 12. haces flexiones

2 **Escriba oraciones, usando la estructura *si* + subjuntivo y la información que se da. Siga el modelo. (9 puntos)**

1. Si Uds. se estiraran antes de hacer ejercicio, no tendrían calambres.
2. Tú podrías levantar pesas grandes si tuvieras más fuerza. 3. Nosotros jugaríamos mejor si fuéramos a todos los entrenamientos. 4. Si ellos hicieran un esfuerzo, podrían hacer cien abdominales. 5. Yo me sentiría mejor si comiera más verduras.
6. Uds. correrían más millas si hicieran cinta en el gimnasio. 7. Si Clara supiera nadar, haría natación. 8. Yo no iría tanto al dentista si evitara los dulces. 9. Víctor estaría más fuerte si levantara pesas.

3 **Empareje las descripciones de la izquierda con la palabra o expresión correspondiente de la derecha. (13 puntos)**

1. H 2. D 3. G 4. J 5. B 6. A 7. F 8. I 9. C 10. E
11. L 12. M 13. K

4 **Marque la letra de la respuesta que mejor completa cada oración. (5 puntos)**

1. B 2. A 3. A 4. B 5. A

5 **Complete cada oración con la preposición apropiada de la lista. (11 puntos)**

1. por 2. para 3. al 4. de 5. para 6. hasta 7. de 8. sin
9. Después de 10. sin 11. Antes de

Capítulo 9

Lección A

1 **Empareje la situación de la izquierda con la expresión correspondiente de la derecha. (10 puntos)**

1. C 2. G 3. H 4. E 5. A 6. D 7. F 8. B 9. J 10. I

2 **Complete las siguientes oraciones con la forma apropiada del presente perfecto del subjuntivo de los verbos entre paréntesis. Siga el modelo. (8 puntos)**

1. se hayan rapado 2. hayamos acabado 3. hayas ido 4. se haya hecho
5. hayan cambiado 6. haya terminado 7. hayan dado 8. se haya alisado

3 **Escoja la forma apropiada del pluscuamperfecto del subjunctivo para completar las siguientes oraciones. Siga el modelo. (6 puntos)**

1. hubieran cambiado 2. hubiera ido 3. se hubiera puesto 4. se hubieran teñido 5. hubiera lavado 6. hubieras venido

4 **Complete las siguientes oraciones con *cualquier* o *cualquiera.* (6 puntos)**

1. cualquiera 2. Cualquier 3. cualquiera 4. cualquier 5. cualquier 6. cualquier

5 **Escriba la palabra o expresión de la lista que corresponde a cada ilustración. (8 puntos)**

1. (camiseta) de lunares 2. etiqueta 3. sudadera 4. vaqueros 5. el calzado 6. estampado 7. el conjunto 8. rebajado

6 **Diga si las siguientes oraciones son ciertas (C) o falsas (F). (4 puntos)**

1. F 2. C 3. F 4. C

7 **Complete las siguientes oraciones con el adjetivo apropiado del paréntesis. (8 puntos)**

1. marino 2. pálido 3. beige 4. morados 5. vivo 6. claro 7. oscuro 8. castaño

Lección B

1 **Complete las siguientes oraciones con la palabra o expresión apropiada de la lista. (10 puntos)**

1. sastre 2. hilo 3. máquina de coser 4. tijeras 5. alfileres 6. mancha 7. mangas 8. bolsillo 9. botones 10. cuello

2 **Escriba oraciones, usando el subjuntivo y la información que se da. Siga el modelo. (4 puntos)**

1. Tú llevas el traje al sastre a fin de que él lo arregle. 2. Yo compro el conjunto sin que ella lo sepa. 3. Ud. lava el vestido a mano para que no se encoja. 4. Nosotros no vamos a la fiesta a menos que tú también vayas.

3 **Empareje las descripciones de la izquierda con la palabra o expresión apropiada de la derecha. (14 puntos)**

1. F 2. J 3. A 4. H 5. B 6. C 7. I 8. G 9. E 10. D 11. M 12. L 13. N 14. K

4 **Diga si las siguientes oraciones son ciertas (C) o falsas (F). (6 puntos)**

1. C 2. F 3. F 4. C 5. C 6. C

5 **Escoja la frase que mejor completa cada oración. (8 puntos)**

1. A 2. B 3. B 4. A 5. B 6. A 7. A 8. A

6 **Complete las siguientes oraciones con el gerundio o el participio pasado de los verbos entre paréntesis, según corresponda. (8 puntos)**

1. Trabajando 2. hecho 3. comprado 4. paseando 5. corriendo
6. visitado 7. sentado 8. escribiendo

Capítulo 10

Lección A

1 **Empareje cada ilustración con la palabra o expresión correspondiente. (10 puntos)**

1. J 2. A 3. F 4. G 5. I 6. H 7. D 8. B 9. C 10. E

2 **Complete las siguientes oraciones con la forma apropiada del presente del indicativo o del subjuntivo, o del mandato de los verbos entre paréntesis, según corresponda. Siga el modelo. (10 puntos)**

1. Vacíen 2. esquiamos 3. confíes 4. fríe 5. se gradúe 6. guía
7. fotografían 8. Estudien 9. continúe 10. sitúan

3 **Empareje la descripción de la izquierda con la palabra o expresión correspondiente de la derecha. (10 puntos)**

1. E 2. F 3. A 4. G 5. B 6. H 7. C 8. I 9. J 10. D

4 **Diga si las siguientes oraciones son ciertas (C) o falsas (F). (10 puntos)**

1. F 2. C 3. C 4. F 5. C 6. F 7. C 8. C 9. F 10. C

5 **Complete las siguientes oraciones con el indicativo o el subjuntivo de los verbos entre paréntesis, según corresponda. (10 puntos)**

1. terminen 2. acabaré 3. lleves 4. sepa 5. es 6. tengo 7. aceptó
8. tengamos 9. estudie 10. reciban

Lección B

1 **Complete las siguientes oraciones con la palabra o expresión apropiada entre paréntesis. (10 puntos)**

1. medios de comunicación 2. realidad virtual 3. pantalla de alta definición 4. predecir 5. optimista 6. genes 7. avances 8. estación espacial 9. astronauta 10. desarrollar

2 **Complete las siguientes oraciones con la forma apropiada del imperfecto del subjuntivo de los verbos entre paréntesis. Siga el modelo. (6 puntos)**

1. estudiaran 2. supiera 3. invitaran 4. tuviéramos 5. viniera 6. viviera

3 **Empareje cada ilustración con la palabra o expresión apropiada. (10 puntos)**

1. F 2. J 3. I 4. A 5. D 6. C 7. B 8. G 9. E 10. H

4 **Marque la letra de la respuesta que mejor completa cada oración. (6 puntos)**

1. A 2. B 3. B 4. A 5. B 6. A

5 **Escriba oraciones con el subjuntivo y la información que se da. Siga el modelo. (6 puntos)**

1. Es imposible que haya recursos naturales para siempre. 2. No creo que nosotros veamos un águila calva en el viaje. 3. Quiero que tú ayudes a reciclar. 4. Les sugiero que Uds. sean más optimistas. 5. Dudo que tu hermano tenga un juego de realidad virtual. 6. Espero que mis amigos eviten el uso de aerosoles.

6 **Complete las siguientes oraciones con la forma apropiada del subjuntivo de los verbos entre paréntesis. (6 puntos)**

1. uses 2. cuide 3. haya 4. fabriquen 5. se gradúe 6. vivamos

7 **Escriba oraciones con el subjuntivo y la información que se da. Siga el modelo. (6 puntos)**

1. Tú vas a ir a la fiesta aunque ellos no te inviten. 2. Uds. lleven lo que Uds. quieran. 3. Cuando nosotros terminemos, llamaremos. 4. Nosotros debemos conservar los recursos naturales antes de que se agoten. 5. Yo no encuentro libros que hablen de energía solar. 6. Ellos necesitan una persona que quiera trabajar en el centro de reciclaje.

